MOT DE L'ÉQUIPE

Le brassage de la bière est une tradition humaine qui remonte à des millénaires, basée sur les croyances et valeurs des différents peuples pionniers dans le monde brassicole. Une tradition qui a perduré, transmise fidèlement par ses adeptes, et qui nous permet, encore aujourd'hui, d'apprécier et de savourer ces purs délices houblonnés.

Cette tradition se fait de plus en plus présente dans la Belle Province où nombreux sont ces passionnés qui, chaque jour, travaillent à redonner à la bière ses lettres de noblesse. L'histoire, l'art et l'amour du brassage vous sont donc racontés au fil des pages de cet ouvrage dédié à notre industrie brassicole québécoise.

Dans la même lignée, nous désirons également encourager la consommation locale, engendrant ainsi des retombées bénéfiques pour notre économie et l'environnement. Les maîtres d'œuvre de notre industrie étant davantage conscients de ces enjeux, de nouveaux choix s'imposent dans les opérations quotidiennes, que ce soit en valorisant l'apport de céréales cultivées localement dans le brassage ou encore, en développant des partenariats de services dans la communauté. Cela dit, on peut donc être fier de boire québécois !

Cette 6e édition de notre guide, fortement enrichie de découvertes et de bonnes adresses, explosion brassicole oblige, vous invite à découvrir (ou redécouvrir) la Route des bières du Québec lors de vos prochaines escapades gourmandes dans la province. Que vous soyez amateur ou bièrophile accompli, vous y découvrirez un marché qui ne cesse de grandir et de nous surprendre avec des produits diversifiés et de grande qualité.

À vos papilles, prêts, dégustez !

L'équipe du Petit Futé

REMERCIEMENTS

À Jean-Pierre Tremblay, directeur de l'Association des microbrasseries du Québec, pour ses précieuses connaissances sur l'industrie brassicole québécoise et son cadre législatif. À Philippe Wouters, à Mario D'Eer et aux Coureurs des Boires qui ont contribué à certains articles de ce guide. Aux brasseurs et toute leur équipe qui ont partagé avec nous leur expérience, leur philosophie, leurs aventures et leurs projets. À ceux qui nous ont permis d'explorer la « caverne d'Ali Baba » où les différentes recettes sont brassées avec amour et patience. À la communauté bièrophile pour son dévouement et sa passion à faire rayonner l'activité brassicole. À tous ceux qui ont dû nous accompagner pour des dégustations… À ceux qui depuis des années ont contribué à enrichir le guide Bières au Québec et à toute l'équipe qui gravite dans l'élaboration et la publication de ce guide.

Comme le dit si bien mon père : « Grand bien nous fasse et qu'on n'en manque jamais ! »

Valérie Fortier

Édité par : Les Éditions Néopol Inc, 300 St-Sacrement, # 415 - Montréal (Qc) H2Y 1X4 | tél : 514-279-3015 fax : 514-279-1143 | courriel : redaction@petitfute.ca | www.petitfute.ca **Président & Directeur général :** Jonathan Chodjaï. **Directeurs de collection :** Jonathan Chodjaï, Michaël Galvez, Jean-Paul Labourdette. **Directrice des publications :** Audrey Lorans-Garbay. **Directrice de la rédaction :** Valérie Fortier. **Montage :** Bruno Dubois. **Auteure :** Valérie Fortier. **Conseillère en publicité :** Anne M[illegible] [illegible]on : Socadis-Flammarion. **ISBN :** 978-2-924020-67-8 **Dé**[illegible] [illegible]que nationale du Canada, 2012. **Avertissement.** Tous l[illegible] [illegible]les au 1er juillet 2012. Il est possible que les prix aient u[illegible] [illegible]ntre le jour de l'impression de ce guide et le moment où [illegible] été modifiés. Photo en couverture © Valentyn Volkov.

LA BIÈRE, UNE CULTURE QUI SE DÉVELOPPE

PHILIPPE WOUTERS
Chef | Sommelier en bière
www.bieresetplaisirs.com

Boire une bière est un geste qui demande de s'impliquer de plus en plus. À l'ère des communications internationales et du commerce mondial, on apprécie d'encourager un commerçant de notre région et découvrir ses produits. Le monde de la bière n'y échappe pas et c'est tant mieux.

Même si le développement brassicole au Québec a commencé il y a un quart de siècle, c'est seulement depuis quelques années que la bière artisanale profite d'un intérêt marqué de la part du consommateur. Boisson alcoolisée la plus consommée au Québec, elle est cependant la moins connue des alcools vendus au Québec. La tendance se transforme, verre après verre.

Depuis l'impression de la dernière édition du guide ***Petit Futé Bières au Québec,*** le paysage brassicole québécois a changé : plusieurs microbrasseries et brasseries artisanales ont ouverts leurs pompes et font couler de la bière artisanale dans les régions du Québec.

Saviez-vous que plus du tiers des microbrasseries sont situées dans des villes de 20 000 habitants et moins ? L'industrie de la bière permet donc à plusieurs artisans de rester dans leur région et de créer de l'emploi.

Saviez-vous que 7 bières achetées sur 100 sont des bières de microbrasserie ? Un chiffre qui a plus que doublé en moins de 10 ans !

Saviez-vous que si vous buviez une bière québécoise différente chaque jour, il vous faudrait plus de 2 ans et recommencer aussitôt car plusieurs nouveaux produits seraient disponibles ? Le Québec est reconnu, sur la place mondiale, comme une des régions brassicoles les plus dynamiques au monde.

Saviez-vous, qu'au moment d'écrire ces lignes, plus de 20 projets de microbrasseries et brasseries artisanales sont en cours de développement ? Soit l'équivalent du quart des brasseries actuelles.

Le marché de la bière au Québec se développe et se transforme et on aime prendre une bière pour diverses occasions : qu'elle soit rafraichissante ou digestive. De plus en plus appréciée à table, la bière s'invite également dans les repas gastronomiques et les mariages bières et fromages sont considérés comme des événements culinaires « tendances ». Qui l'aurait cru !

Le savoir-faire de nos brasseurs y est pour beaucoup. Les bières du Québec se démarquent dans divers concours internationaux et plusieurs millésimes québécois sont reconnus comme meilleure bière au monde. Un exploit ? Je dirais plutôt le fruit d'un travail acharné.

On consomme de la bière au Québec depuis l'arrivée des premiers colons mais on commence à peine à en découvrir sa culture. Je vous invite à vous plonger dans ce nouveau guide des Bières au Québec et à découvrir le savoir faire brassicole du Québec.

Santé !

AU CŒUR DE L'EFFERVESCENCE DE LA RÉVOLUTION BRASSICOLE

MARIO D'EER

Auteur de 14 ouvrages sur la bière, Mario D'Eer a obtenu l'«Hommage bâtisseur» de l'Association des microbrasseries du Québec (2010) et «Educator of the year» du Canadian Breweries Award (2012).

www.mariodeer.com

En 1994, alors que j'organisais la première édition du Festibière de Chambly, j'avais affirmé à un journaliste qu'un jour, il y aurait 50 microbrasseries au Québec. À l'époque, il y avait moins d'une dizaine de petites brasseries. Ma déclaration avait engendré un sourire paternaliste de la part du scribe, et fait sourciller les brasseurs du temps. Je basais ma prédiction sur le fait que tout débit de boisson pouvait être transformé en bistro-brasserie (que certains nomment par l'anglicisme ***brouepub***). J'avais vraiment sous-estimé la puissance de cette révolution. À l'époque, il était impensable de fonder une brasserie ailleurs que dans les grandes villes. On oubliait que des jeunes s'y rendaient faire des études universitaires. Ils revenaient diplômés en génie, en architecture, en histoire, en médecine... mais la chope de leurs rêves était maintenant de devenir microbrasseurs. Ils ont défriché un marché qu'on croyait impossible. Plus d'une centaine de magiciens transforment aujourd'hui l'eau en bière partout au Québec. Je prévois maintenant qu'un jour, très prochainement, il y en aura plus de 200 !

La soif de nouvelles bières, qui avait permis aux pionniers de river solidement leurs cuves dans le marché d'il y a 20 ans, ne pouvait pas être assouvie par eux seuls. Ils brassaient des styles classiques internationaux, et ont connu le succès par le fait qu'ils offraient d'excellents produits – gouteux – différents des bières désinvoltes des grandes brasseries industrielles. Cet appétit pour la nouveauté a conduit les plus jeunes à pousser leurs propres interprétations à des intensités ou variétés gustatives impensables. La grande famille des Pale Ale, par exemple, connait tellement de déclinaisons qu'on en perd son anglais ! Le houblon, fleur noble, est maintenant présent à forte dose dans les bières blanches et les Weizens, ce qui bouscule les traditions européennes ! La puissance des marchés émergents, influencés par les brasseurs américains, a forcé plusieurs petites cervoiseries traditionnelles du vieux continent à augmenter la dose florale dans certains de leurs classiques. Pensons à Duvel Houblon, Chouffe Houblon, Hopfenweizen, et tutti quanti. L'emploi imaginatif des épices, des herbes, ainsi que l'élevage dans des fûts, font un savoureux pied de nez à la Reinheitsgebot, la loi de pureté de la bière allemande.

Les microbrasseries chambardent les habitudes traditionnelles partout dans le monde. Même les géants offrent des marques dans ce secteur de consommation. On s'éloigne de plus en plus loin des sentiers battus : on invente, on laisse ses idées pétiller d'imagination. Des brasseurs ont créé collégialement un style authentiquement québécois, dénichant même une levure fleur-de-lysée, une branche négligée de développement (***voir encadré « L'annedda, un style authentiquement québécois »***).

L'une des plus belles caractéristiques de cette nouvelle ère est le maillage et l'entraide entre les brasseurs. Je me souviens du tollé qu'avait produit l'arrivée du Broadway Pub à quelques gorgées du Trou du Diable à Shawinigan. Les amateurs craignaient que cette situation ne nuise à cette dernière. Voilà deux organisations qui s'entraident régulièrement. Plusieurs cervoisiers se regroupent pour brasser ensemble, partout dans le monde.

Signe que la bière reçoit maintenant ses premières véritables lettres de noblesse, elle est de plus en plus présente aux repas. Les accords bières et fromages, qui confondaient bien des sceptiques dans les années 1990, sont devenus populaires dans tout le milieu microbrassicole. Toute brasserie qui se respecte propose des agencements plus succulents les uns que les autres.

La révolution du goût de la bière s'observe partout sur cette grosse bulle que nous nommons « Terre »! Je promène ma chope depuis une trentaine d'années des deux bords de l'Atlantique afin de documenter ce grand changement. Je constate que la révolution microbrassicole n'a pas vraiment eu lieue : c'est une révolution brassicole tout court, menée par les microbrasseries, et nous en sommes toujours au cœur ! Alléluia !

© Noémie Roy Lavoie

Introduction au monde de la bière

LA ROUTE DES BIÈRES DEPUIS SES ORIGINES

La route des bières à travers les âges est une histoire passionnante, intimement liée à la culture et aux traditions humaines. Les premiers écrits relatant l'existence de la bière remontent à **4 000 ans avant J.C**. et ont été découverts par des archéologues, à Sumer en Basse Mésopotamie. Ce sont des poèmes épiques écrits sur des tablettes d'argiles et adressés à la déesse de la bière Ninkasi (déesse Sumérienne), dans lesquels on retrouve une vingtaine de formules différentes de fabrication de bière.

La Basse Mésopotamie, actuelle Irak, fût le théâtre d'une des mutations les plus importantes de l'histoire de l'humanité. Nourries par les fleuves du Tigre et de l'Euphrate, les riches et vastes plaines de Mésopotamie étaient propices à l'agriculture et, peu à peu, l'homme apprit à domestiquer la terre. En développant des techniques de drainage et d'irrigation, il se sédentarisa et on vit apparaître les premières cités. C'est à cette époque que l'homme apprend à maîtriser la culture de l'orge et de l'épeautre, avec lesquels il commença à fabriquer le précieux nectar. De là, les premières bières! Elle fut un témoin privilégié de l'histoire des premières civilisations et joua un rôle de premier plan dans plusieurs pratiques culturelles de l'époque. Dans certaines cités de Mésopotamie, il était d'usage, pour le père d'une femme nouvellement mariée, de fournir son nouveau gendre en bière pendant un mois (calendrier basé sur le cycle de la lune).

C'est dans cette même région que fût découvert un vase sur lequel apparaissent des hommes qui partagent une jarre de bière. Ce vase date de **3 400 avant J.C.** et représente la plus ancienne illustration connue de la bière. À cette même époque, les citoyens de Babylone fabriquaient une bière issue des moissons et nommée *Bissebarussa*. Celle-ci servait bien sûr à se désaltérer, mais constituait aussi une offrande aux dieux et un salaire pour les travailleurs.

« Le vin est un don de Dieu,
la bière est une tradition humaine »

— Martin Luther

De l'Égypte à l'Europe

Vers **2 900 avant J.C**., les Égyptiens possédaient déjà de véritables entités brassicoles régies par une réglementation stricte. Ils brassaient une dizaine de sortes de cervoise différentes, dont certaines avaient un taux d'alcool élevé et étaient parfumées avec des fleurs et des épices. La plus répandue, et la seule dont le nom soit arrivé jusqu'à nous, était le *zythum* (voir Abièrecédaire). On parlait aussi à cette époque de « vin d'orge ».

Petit à petit, la cervoise fît son entrée sur le continent européen. Les traces les plus anciennes proviennent du Danemark actuel, vers **1 500 avant J.C**., où l'on a découvert une bière à base de céréales.

« Donnez-moi une femme qui aime vraiment la bière et je conquerrai le monde. »

— Guillaume II

À l'époque gauloise, on buvait principalement le fameux vin d'orge et, dans les régions où la vigne ne poussait pas et où l'envahisseur romain n'avait pu l'introduire, les habitants produisaient la cervoise (l'espagnol a conservé la racine pour donner *cerveza*). C'est en ce temps-là qu'on commença à brasser en famille tandis que les tonneaux en bois remplacèrent peu à peu les récipients en poterie.

En Europe, le phénomène se généralisa. Le brassage se répandit partout, du Caucase à l'Écosse en passant par la Germanie où les habitants furent très vite de grands consommateurs. Les particularités de goût et d'ingrédients, propres à chaque région, étaient fortement marquées. Les guerres, quant à elles, jouèrent un rôle important puisqu'elles permirent aux peuples de confronter leurs différentes techniques de fabrication.

« Combien de bière y a-t-il dans l'intelligence allemande ? »

— Friedrich Nietzsche

Les moines belges

Au **8e siècle**, les moines des abbayes, qui maniaient depuis quelque temps l'art du brassage, furent les premiers à utiliser le houblon de façon systématique. Les moines avaient en effet découvert les propriétés de cette plante : la conservation accrue et la suppression de certaines fermentations nuisibles. On nota également l'apparition des premières vraies brasseries, principalement liées aux monastères.

Au **11e siècle**, le malt fît son entrée dans le monde de la bière. Essentiellement, il s'agit d'orge germée puis grillée.

La croissance des corporations et la mise en place de réglementations strictes furent les changements majeurs des **12e et 13e siècles.** C'est dans ces conditions que fût fondée la ville de Munich et qu'apparurent environ 500 brasseries en Allemagne.

Au **15e siècle**, la cervoise et le *gruyt* disparurent peu à peu pour laisser véritablement la place à la bière et au houblon. Les brasseries se multiplièrent donc sans cesse dès le **16e siècle.**

Au **17e siècle**, le roi de France octroya aux brasseurs un titre de « juré » qui leur donna le droit d'exercer leur profession. Le **18e siècle** vit apparaître de nouveaux et nombreux progrès techniques. Ainsi le thermomètre fut introduit en 1760 et, dès 1784, les machines à vapeur remplacèrent progressivement les fourquets, fourches aux extrémités non pointues servant à mélanger l'eau et le malt.

L'industrialisation

La révolution industrielle amorcée au début du **19e siècle** donna le départ d'une modernisation continue et sonna la fin du brassage dans le cadre familial. En **1805**, le saccharimètre, appareil destiné à contrôler les quantités de sucre, fit son apparition.

Les améliorations les plus notoires au niveau scientifique restaient à venir. Ce fut chose faite lorsque Louis Pasteur découvrit la levure et lorsque la machinerie industrielle se développa. L'isolement de la cellule de levure et la mise à jour des propriétés fermentescibles de celle-ci offrirent aux brasseurs de nouvelles perspectives. La pasteurisation et l'industrialisation ont ouvert un nouveau chapitre dans l'histoire de la bière. Cela a notamment permis de brasser en plus grande quantité des bières plus stables, mais surtout exportables. Ce fut le début d'une longue époque, qui perdure encore aujourd'hui, marquée par l'uniformisation des produits et l'omniprésence sur le marché d'une bière blonde et limpide à prix très concurrentiel.

> « La bière constitue un apport précieux à l'alimentation rationnelle et à l'hygiène. »
>
> — Louis Pasteur

LA BIÈRE EN NOUVELLE-FRANCE

La bière fut adoptée avant le vin en Nouvelle-France ! Nos ancêtres, fiers de leurs habitudes et traditions, ont importé avec eux différents breuvages alcoolisés. Malheureusement, cultiver le raisin avec un climat aussi rigoureux et tordu que le nôtre en a découragé plus d'un. Le houblon a alors remporté la palme d'or ! Nettement plus nutritif et rapide à produire, le brassage de la bière s'est donc bien installé dans le quotidien des habitants du Nouveau Monde. On raconte même que les brasseries ont ouvert leurs portes en Amérique au même rythme que les églises… Cependant, ce n'est qu'après la Seconde Guerre mondiale qu'aura lieu l'industrialisation de la bière. Quelques décennies plus tard, vers le milieu des années 1980, la Régie des alcools, des courses et des jeux du Québec (RACJ) créa un nouveau type de permis autorisant un établissement à brasser de la bière de façon artisanale mais en limitant sa vente au lieu de fabrication. Le Cheval Blanc à Montréal sera ainsi le tout premier à obtenir un permis de brasseur artisanal en 1987.

C'est Louis Hébert et sa femme Marie Rollet qui sont à l'origine de la Route des Bières et Saveurs du Québec. Louis Hébert fût le premier colon à cultiver la terre québécoise et à vivre de ses récoltes. Il fut engagé en **1617** par la *Compagnie de Canada* afin de s'installer à Québec avec sa famille. En tant qu'apothicaire de

LOUIS HÉBERT ET MARIE ROLLET : LE COUPLE À L'ORIGINE DE LA ROUTE DES BIÈRES ET SAVEURS DU QUÉBEC.

Louis Hébert fût le premier colon agriculteur de la Nouvelle-France et sa femme, Marie Rollet, fut la première à brasser de la bière dans la colonie que Champlain avait fondé. Voici le contrat que signèrent Louis Hébert et la *Compagnie de Canada*, avant de partir pour la Nouvelle-France :

« J'ay, Louis Hébert de Paris, recognois et confesse m'estre loué par acte à la Compagnie de Canada pour habiter avec ma famille, deux filles et un fils, et avec un homme que je mène avec moy nommé Claude Rollet audit pays de Canada et pendant les deux première années, travailler à tout ce que me commanderont ceux qui auront charge de ladite Compagnie à Québec, pour le service d'icelle et, lors qu'il ne s'offrira affaire meritant s'y occuper, lesdits commis de Quebec me donneront licence de deffricher, labourer et ameliorer les terres dudit pays, et le provenu de mesdits labeurs et de mes gens, les mettre ès mains de la dite compagnie pendant les deux années, laquelle en pourront disposer comme de chose à elle propre, moyennant qu'elle s'est promise me payer pour tous mes gens et moy, par chacune desdites, la somme de trois cens livres tournois. »

« Et lesdites deux années passès, ne sera ladite compagnie tenue nourrir ny defraier d'aucune chose moy ny à mes gens et ny donner aucuns loyers, moyennant aussi qu'elle me permet faire tels labeurs qu'aviseray bien estre, soit estre, soit petum, blé d'Inde, jardinage et autre agriculture, dont les provenus seront à ma disposition pour les vendre à la dite compagnie par delà, au mesme prix que telle marchandise pourroit valoir deçà en France, et accorde que je pourray, à peine de confiscation et perte de mes loyers susdits, de traicter ny faire traiter par moy ny par mes gens aucune chose avec les Sauvages ny autres. »

« Et pour subnenir a mes necessitez, la dite compagnie m'a baillé et advancé la somme de six-vingts escus vallant trois livres tournois dont ladite compagnie court le risque sur le navire de Saint Estienne allant et venant, scavoir trois cents livres que luy avons fourny d'advance, et soixante livres tournois pour le riaque, dont je les quite. En outre Promets assister de tout mon pouvoir des malades qui seront de par delà, gratis, sans salaire. »

« Faict à Honfleur, le 6 mars 1617. »

« Signé : Thomas Porée, Louys Hébert, Vermule, Boyer »

la colonie, Louis Hébert devait soigner les colons, et c'est sans doute dans cette optique que sa femme Marie Rollet commença à brasser de la bière. Les pères Récollets, engagés par Champlain à titre de ministres de la nouvelle colonie, ont aussi brassé de la bière aux alentour de **1620.**

Louis Prud'homme, originaire de Pomponne près de Lagny-sur-Marne en Île-de-France et ancien capitaine de milice, est le premier brasseur à se déclarer comme tel lors du recensement de Ville-Marie en **1642.**

La première brasserie ouverte au peuple de la Nouvelle-France a été inaugurée par les Jésuites, à Sillery, en **1647.**

En **1665**, Jean Talon débarque à Québec, à titre d'intendant de la Nouvelle-France, et il a comme mission de s'occuper de l'administration civile de la colonie. À l'époque, la colonie dépensait environ 100 000 livres par an en vins et spiritueux importés. C'est par soucis de voir cet argent servir à développer les produits locaux que Talon décida, en **1668,** de faire construire une brasserie d'un potentiel de 4 000 barils annuellement. La moitié de la production était destinée au marché des Antilles. La brasserie ferma ses portes cinq ans plus tard. En effet, après le départ de Jean Talon, les règlements sur l'importation des vins et des alcools ne sont plus respectés. En **1675**, la brasserie cesse de produire de l'alcool. Plus tard, l'édifice abandonné de la brasserie servira de résidence aux intendants de la colonie.

Une équipe d'archéologues de l'Université Laval, dirigée par Marcel Moussette, ont entrepris des fouilles dans les années 1980 afin de retrouver les vestiges de la brasserie. Ils ont entre autres trouvé le plancher du germoir, la citerne d'eau, les séchoirs à orge, et même des grains de houblon laissés dans un drain.

En **1690**, Charles Lemoyne, Seigneur de Longueuil, fit installer une brasserie sur ses terres mais elle ne fût vraiment opérationnelle qu'au début du 18e siècle. Le brasseur s'appelait André Cibert.

Suite à la défaite des Français aux mains des Anglais sur les plaines d'Abraham, le 17 septembre **1759** (la rumeur veut que plusieurs soldats français aient bu quelques bières de trop cette journée là !), la Nouvelle-France devint propriété de l'Angleterre. Cet événement ouvrira la porte un peu plus tard à l'occupation d'une bonne partie du marché québécois par les brasseries de colons ou de descendants de colons anglophones (Dow 1818, Labatt 1828, Carling 1840 et O'Keefe 1848).

John Molson et Thomas Loid fondèrent la brasserie Molson en **1796**. Elle est la plus vieille brasserie toujours en opération en Amérique du Nord et est encore située au même endroit depuis sa fondation. En **1809**, face à la demande croissante et aux nécessités de transport vers l'extérieur, John Molson devint le premier à faire voguer un bateau à vapeur sur le fleuve Saint-Laurent.

En **1918**, le gouvernement canadien interdit la fabrication de breuvage contenant plus de 2,5 % d'alcool. Sous l'influence du clergé, Les Cercles de Lacordaire (pour les hommes) et Sainte-Jeanne D'Arc (pour les femmes), furent fondés à cette période. Les membres de ces associations catholiques du Canada s'engagèrent à lutter contre l'alcoolisme en pratiquant l'abstinence totale des boissons enivrantes. «Le diable est dans la bouteille!» En **1921**, la prohibition toucha toutes les provinces du Canada, à l'exception du Québec et de la Colombie–Britannique.

LES DIFFÉRENTS TYPES DE BRASSERIES

Les termes brasserie, microbrasserie et brasserie artisanale (aussi appelée « broue-pub » un dérivé de l'expression anglaise « brew pub ») portent encore parfois à confusion. Ce qui les différencie tient principalement aux facteurs suivants : les types d'installation, le volume de production, la variété des produits brassés, le réseau de distribution et les coûts.

Brasseries : Elles brassent un très grand volume de bières annuellement et l'ensemble de leur production est destinée au marché local ainsi qu'à l'exportation. Certaines bières étrangères sont brassées et distribuées localement par les brasseries. Elles se concentrent sur quelques recettes uniquement même si aujourd'hui elles tendent à se diversifier.

Microbrasseries : Elles détiennent le même permis que les brasseries mais leur volume annuel global de production est inférieur à celui des brasseries (moins de 300 000 hectolitres) et elles offrent davantage de bières de spécialité. Certaines exportent mais à moins grande échelle, dû aux coûts élevés de distribution. Elles possèdent en majorité un permis de salon de dégustation, de bar ou de restauration, permettant aux bièrophiles de découvrir les produits à l'endroit même où ils sont brassés.

Brasseries artisanales : Contrairement aux deux premiers, les « broue-pubs » ne possèdent pas de permis pour embouteiller et distribuer leurs produits. Les bières sont donc produites en beaucoup plus petite quantité et vendues uniquement pour consommation sur place. Le brasseur artisanal se permet également une plus grande rotation des produits selon les saisons ou son humeur ! Depuis quelques années, plusieurs brasseries de ce type se sont dotées d'installation d'embouteillage, soit sur place soit en s'associant à une microbrasserie qui se charge de cette opération.

« L'alcool est un produit très nécessaire... Il permet au parlement de prendre à onze heures du soir des décisions qu'aucun homme sensé ne prendrait à onze heures du matin. »

— George Bernard Shaw

DISTRIBIÈRES

Afin de bénéficier d'avantages économiques concernant la mise en marché, la distribution et le regroupement d'achat, la coopérative Distribières a été créée en 2009 et compte pour l'instant huit brasseries membres: À l'Abri de la Tempête, La Barberie, Les Brasseurs du Temps, Microbrasserie du Lièvre, La Chouape, Le Bilboquet, Le Naufrageur et Saint-Arnould. Cette initiative permet donc aux membres de réduire leurs charges administratives liées entre autres à la prise de commande et à la facturation, de distribuer une plus grande variété de produits, et d'assurer des livraisons pour consommation à domicile (dépanneurs, épiceries, grande surface: CAD dans le jargon du milieu) et les commerces de consommation sur place (bars et restaurants: CSP) et ce, de manière fixe et plus fréquente. Pour toute information: **www.distribieres.com**

LA BIÈRE DE NOS JOURS

Portrait de l'industrie québécoise

La naissance des microbrasseries et brasseries artisanales au Québec remonte aux années 1980. La renaissance de la culture «brassicole», menée par de jeunes brasseurs passionnés et créatifs, est venue assouvir les consommateurs en quête de produits de qualité distincts, plus caractérisés en termes de propriétés gustatives, issus de notre riche terroir québécois.

L'arrivée des microbrasseries a ni plus ni moins amené la déconcentration d'une industrie: d'un centre-ville à l'ensemble du Québec. En 1985, il existait trois grands brasseurs: Molson, Labatt et O'Keefe (par rapport à 31 au début de 1900) qui contrôlaient 99,5 % du marché. Leur production était centralisée à Montréal. Depuis ce temps, O'Keefe a été englouti par Molson et la production de ces brasseurs est toujours à Montréal, mais les centres décisionnels sont hors du pays. Cependant, à l'automne 2011, on trouve un portrait tout à fait différent. En effet, il y avait 87 permis de producteurs industriels ou artisans. Ces 87 permis étaient détenus par des entreprises situées dans 47 villes, 57 comtés et 14 régions administratives du Québec. Autre constat intéressant: près de 45 % des villes qui accueillent ces entreprises ont moins de 10 000 habitants et 58 % moins de 20 000.

Les microbrasseries ont tout d'abord fait leur apparition en deux vagues successives, soit au milieu des années 1980, puis entre 1995 et 2000. Le marché était là mais il s'avérait le plus contrôlé au monde par deux géants. C'était tout un défi à relever! Des passionnés ont décidé de foncer, de réussir en grand centre et en région. Les microbrasseries de la première vague ont pris pied dans le marché, se sont réunies en association et ont obtenu les premiers gains réglementaires et fiscaux pour aider la deuxième vague. Celle-ci a fait preuve d'ingéniosité en développant le concept d'une microbrasserie combinée à un restaurant ou à un salon de dégustation, concept repris systématiquement avec succès par la suite et qui assure la rentabilité en région. En cours de route, malheureusement, à l'aube des années 2000, plusieurs microbrasseries ayant repris le modèle industriel traditionnel n'ont pas survécu… La dernière décennie fut florissante pour l'industrie avec une troisième vague qui s'est bien installée, profitant du modèle créé par la deuxième vague et par le regroupement dans l'AMBQ qui a mené à un nouveau gain avec la modulation des droits d'accise fédéraux.

Du côté des brasseries artisanales, le premier permis fut octroyé au Cheval Blanc il ya déjà 25 ans, soit en 1987. En 1997, on comptait déjà une dizaine de ces établissements dans la province alors que ce nombre a pratiquement triplé quinze ans plus tard. C'est en partie grâce à un marché du détail passablement encombré jumelé au nouveau modèle d'entreprise et aux politiques fiscales ajustées citées plus haut, qui ont ouvert la porte à d'excellentes possibilités de développement de la production artisanale.

Parties de zéro au milieu des années 1980, les petites brasseries, tous permis confondus, possédaient une part de marché de 3,5 % en 2002-2003 et de 6,1 % en 2010-2011.

Les grandes brasseries industrielles, désormais propriétés d'intérêts étrangers (InBev-Labatt et Moslon-Coors), ont vu une petite part de leur marché leur échapper au profit des petites brasseries (et du groupe Sapporo-Sleeman-Unibroue), mais encore aujourd'hui, elles détiennent plus de 88 % du marché (incluant leurs ententes de distribution de bières importées). Ces méga entreprises profitent de la désuétude du cadre législatif et réglementaire au Québec pour abuser de leur position et bloquer l'accès au marché des entreprises locales. D'ailleurs, il y a quelques années, l'Association des microbrasseries du Québec a déposé une plainte dénonçant les « pratiques anticoncurrentielles » des géants Labatt et Molson. Même si l'enquête confirma l'existence des pratiques alléguées par la plainte, le Bureau de la Concurrence ne jugea pas cela suffisant pour soutenir une preuve auprès du Tribunal et mit fin à la démarche (rapport complet disponible sur le site Internet du Bureau de la concurrence du Canada).

Malgré tout, les maîtres d'œuvre de l'industrie brassicole québécoise restent optimistes et continuent de surprendre nos papilles gustatives. Ils s'efforcent depuis de nombreuses années à créer une tradition brassicole et à nous faire découvrir ces petits bijoux par le biais de festivals et de points de vente spécialisés à travers la province. C'est sans compter les nombreuses actions menées par l'Association des microbrasseries du Québec auprès des différents paliers gouvernementaux afin d'assurer un soutien et une équité entre les membres de l'industrie québécoise. En 2012, c'est au-delà de 80 microbrasseries et brasseries artisanales qui s'affairent à produire ces divins nectars, avec l'émergence d'houblonnières et de malteries locales qui visent à fournir nos brasseurs pour l'obtention de bières 100 % québécoises. La balle est donc en partie dans le camp du consommateur qui, par ses choix judicieux, permettra à notre marché local de continuer de s'épanouir en plus de profiter à l'économie et au dynamisme de sa région.

ASSOCIATION DES MICROBRASSERIES DU QUÉBEC (AMBQ)

Fondée en 1990, alors que l'industrie brassicole québécoise en était à ses « premiers pas », l'AMBQ s'est donnée pour mission de « regrouper les microbrasseries du Québec, promouvoir et défendre leurs intérêts communs ». On y dénombre à ce jour près d'une trentaine de microbrasseries membres, lesquelles sont implantées aux quatre coins de la province dans plus d'une dizaine de régions administratives.

Il y a quelques années, l'association s'est dotée d'un plan stratégique pour l'industrie, couvrant la période 2007-2017, avec des objectifs précis concernant la part de marché, la production, la création d'emploi et le contenu québécois. En voici les grandes lignes :

- ➔ Augmenter la part de marché des microbrasseries au Québec, qui était alors de 4.5 %, à 12 % d'ici 2017 ;
- ➔ Faire passer la production locale annuelle de 300 000 hectolitres à plus de 800 000 hectolitres ;
- ➔ Tripler le nombre d'emplois directs (633 à 1 883) et augmenter la part des ressources humaines dans l'industrie de 16.2 % à environ 40 % ;
- ➔ Augmenter de façon importante le niveau (faible) du contenu en houblon et céréales québécois dans la fabrication de la bière, autant que possible dans les recettes actuelles, mais surtout dans le total ciblé en 2017 ;
- ➔ Créer un autre impact de création d'emploi, en milieu agricole.

De par sa mission, et grâce à un réseau d'expertise bien développé, l'AMBQ œuvre à faire reconnaître la réalité du marché brassicole québécois auprès des différentes instances gouvernementales, tout en faisant valoir les droits et les retombées positives de l'industrie locale afin de la positionner comme un joueur de premier plan, tant pour l'économie et l'emploi que pour l'environnement et sa contribution à sa communauté locale et régionale.

Parmi ses réalisations et projets en cours, notons :

ENVIRONNEMENT D'AFFAIRES

- ➔ En obtenant, en 1996, une modification au permis industriel permettant aux microbrasseries de vendre sur place, elle a permis l'élaboration d'un modèle de plan d'affaires rentable en région et ainsi l'émergence et le développement actuel.
- ➔ En obtenant, au plan des politiques fiscales, la modulation de la taxe spécifique sur les boissons alcooliques du Québec en 2003 et la modulation sur les droits d'accise en 2006 au fédéral, elle a permis au petites entreprises d'évoluer dans un régime mieux adapté à leur réalité. Cela venait renforcer l'impact de la modification réglementaire de 1996.
- ➔ En 2012, une problématique majeure demeure pour assurer la croissance et la pérennité de l'industrie des microbrasseries québécoises : l'accès aux tablettes. L'AMBQ travaille fortement à la relance d'un comité interministériel pour la modernisation du cadre législatif et réglementaire obsolète qui crée un environnement malsain et inéquitable.

UN PROGRAMME QUALITÉ POUR LES MICROBRASSERIES

Suite à la volonté des microbrasseries de garantir au consommateur un produit de qualité constante dans le temps, l'AMBQ, en partenariat avec le MAPAQ[1], a réalisé un programme qualité unique en son genre pour une association, dans

---

1. Ministère de l'Agriculture, des Pêcheries et de l'Alimentation du Québec : www.mapaq.gouv.qc.ca

un esprit d'auto-gouvernance. L'association a dû créer son propre modèle. Elle en pleine phase d'implantation, en collaboration avec le MAPAQ, Emploi-Québec Laurentides ainsi que des consultants du milieu.

UNE CAMPAGNE COMMUNICATION MARKETING

- ➔ Réalisation en 2011 d'une étude sur l'image et le positionnement des microbrasseries.
- ➔ Création d'une nouvelle signature.
- ➔ Construction d'un site web de référence.
- ➔ Partenaire de la création de la série télévisée Ça va brasser!.
- ➔ Campagne destinée aux consommateurs.

UNE TABLE DE CONCERTATION FILIÈRE DE LA TERRE À LA BIÈRE

- ➔ Créée pour impliquer divers intervenants du milieu (ou table filière du producteur agricole à la transformation en produit brassicole).
- ➔ Réalisation d'un premier portrait de situation et de faisabilité du développement du houblon et du malt du Québec.

UN CONGRÈS DE L'INDUSTRIE

En 2010, à l'occasion de son 20e anniversaire de fondation, l'AMBQ a tenu un premier congrès de l'industrie. Il s'est répété en 2011 avec une dimension internationale et devient graduellement, sur une base annuelle, le lieu de rencontre de toute la filière bière. Un lieu et un temps d'échange professionnel unique, avec conférenciers, panels, chefs invités, salon de fournisseurs et son gala «Hommage» qui souligne la contribution exceptionnelle de personnes et partenaires au développement du secteur, à titre de bâtisseur, de partenaire essentiel, de détaillant, de restaurateur.

À surveiller en 2012-13

L'industrie brassicole québécoise a bien évolué depuis plus d'une vingtaine d'années et que dire de tous les bijoux que nous a apporté la dernière décennie. Et ce n'est pas prêt de se terminer car l'année en cours nous réserve de belles surprises:

- ➔ La Côte-Nord pourrait bien se doter de sa toute première **brasserie artisanale à Sept-Îles**. Pour plus d'info sur le projet, consultez la page Facebook «Projet brasserie artisanale Sept-Îles». Un autre projet est également à l'étude pour **Baie-Comeau**. À suivre...
- ➔ **La Voie Maltée** ouvrira une 3e succursale en 2013. Située sur le boulevard Pierre Bertrand à Québec, dans l'ancien restaurant Rouge ou Blanc, la microbrasserie aura une section avec épicerie et comptoir où seront en vente des produits régionaux et des mets préparés. L'entreprise prévoit également construire une nouvelle bâtisse dans la ville de Saguenay afin de produire des bières en canette pour le marché québécois.
- ➔ Toujours dans la région de la Capitale, une nouvelle brasserie devrait voir le jour à **Donnacona**. Le projet est entre autres piloté par Michel Marcoux de La Barberie.

→ Le brasseur de Braise et Houblon à Laval, Christian Marcoux, vient de démarrer la **Microbrasserie Goudale** située 4535 Grande Allée à Boisbriand. L'ouverture devrait se faire au courant de l'été 2012, attente du permis oblige. Aucune inquiétude à avoir pour les amateurs de Braise et Houblon car Christian continuera de brasser les bières de la brasserie de Laval.

→ Dans les Basses-Laurentides, dans la région de Saint-Eustache, devrait naître sous peu la **Microbrasserie Noire et Blanche**. Le projet est piloté par Pascal Laprade, Frédérick Proulx et Yan Lamoureux-Marboeuf. Ce dernier, qui s'est fait la main entre autres chez AMB | Maître Brasseur et Brasseur de Montréal, sera le manitou du fourquet. Pour tout savoir sur le concept et l'avancement du projet, consultez leur page Facebook « Noire Blanche Microbrasserie ».

→ Les frères Sébastien et Francis Laganière, deux bièrophiles invétérés de la Vallée du Richelieu, ouvriront cet automne la **Brasserie artisanale Lagabière** à Saint-Jean-sur-Richelieu. Le projet avance bien et une terrasse arrière permettra de savourer une bonne pinte maison avec vue sur la rivière.

→ Toujours en Montérégie, la **Microbrasserie Maltéus** de Salaberry-de-Valleyfield devrait ouvrir ses portes au courant de l'été ou de l'automne 2012. Vous pouvez suivre l'évolution du projet sur leur page Facebook du même nom.

→ Finalement à Montréal, la Microbrasserie La Brumeuse brasse des bières honnêtes et responsables, souvent uniques de cuvée en cuvée. Aucun des produits n'est pour l'instant en vente comme ils en sont au stade expérimental. Pour suivre le projet, consultez la page Facebook « Microbrasserie La Brumeuse ».

Bien évidemment, il y a d'autres projets d'ouverture en cours. Certains se concrétisent, d'autres sont pour l'instant sur la glace. Pour vous tenir au parfum des nouveautés et des projets en branle, le site Internet perso de Jan-Philippe Barbeau, brasseur, membre fondateur et président de la coopérative de travail Loup Rouge à Sorel, est une bonne source d'information (**www.jpbarbo.com**, onglet « Projets à venir »). L'incontournable site web et bimestriel de Bières et Plaisirs recensent également les projets confirmés (**www.bieresetplaisirs.com**).

LA DÉGUSTATION

Le bièrophile tchèque devant sa « pilsner », le moine trappiste devant son « ABT » et le gentleman anglais devant sa « porter » auront tous leur propre façon de déguster leur bière préférée. Par contre, chacune de ces dégustations prises isolément aura des résultats bien distincts. Il existe autant de façon de déguster qu'il y a de bouches pour le faire. Pour ajouter au défi, toutes les bières ne révèleront pas intégralement l'éventail de leurs charmes lorsque dégustées de la même façon. Dans les meilleures conditions, il faut savoir comment vous êtes et qu'est-ce que vous goûtez. Pour répondre à la première condition, il vous faudra pratiquer et vous analyser. Pour la seconde, il vous faudra pratiquer et analyser la bière. Un dur travail certes, mais ô combien gratifiant ! Avec l'expérience qui s'accumule, la meilleure façon de déguster une certaine bière sera donc celle qui sera choisie en toute connaissance de cause par le bièrophile.

Si vous ne savez pas trop par où commencer, quelques règles de base sauront mieux vous orienter. Dans un monde idéal, la bière, tout comme le vin, requiert une température de dégustation, un verre et un service qui lui sont propres. Voici quelques petits conseils qui sauront vous faire redécouvrir la bière.

L'ANNEDDA, UN STYLE DE BIÈRE AUTHENTIQUEMENT QUÉBÉCOIS

(Texte écrit par Mario D'Eer pour le guide Petit Futé Bières au Québec.)

L'annedda est un nouveau style de bière développé par un regroupement de brasseurs. Il se base sur deux éléments historiques importants, mais il s'agit d'un style tout à fait original. Le premier élément est le sapin baumier, tandis que le deuxième est la levure Jean-Talon.

L'annedda est le nom de l'arbre qui a guéri du scorbut les matelots de l'équipage de Jacques Cartier en février 1536, lors du premier hivernage à Stadaconé. Au mois d'avril, 25 hommes étaient morts et 40 étaient gravement malades. Cartier constata que Domagaya, fils de Donnacona le chef iroquois, qui présentait les mêmes symptômes que son équipage, semblait complètement guéri du mal. Ce dernier lui enseigna alors comment préparer une décoction faite de l'écorce et des aiguilles de l'arbre annedda. Les recherches effectuées par Jacques Mathieu, pour la rédaction de son ouvrage (« *L'Annedda, L'arbre de vie* », Les cahiers du Septentrion, 2009), ont démontré qu'il s'agissait du sapin baumier. Cet ouvrage a incité le biérologue Mario D'Eer à créer un comité visant à développer un style de bière authentiquement québécois.

Tous les styles classiques, partout dans le monde, sont l'aboutissement et l'évolution d'un savoir-faire régional. La plupart des nouveaux styles s'en inspirent également. Jamais dans l'histoire de la bière, un groupe de brasseurs s'était concerté pour développer un style original. D'Eer a créé un comité « open source » dans le but de mettre au point une recette issue d'une collégialité de brasseurs. Parmi ses membres, soulignons l'implication déterminante de Michel Gauthier, expert-brasseur, qui a rédigé le cahier des charges, ainsi que de Tobias Fischborn, de Levures Lallemand. Grâce à ce dernier, il été possible d'isoler une levure québécoise, cueillie par Bruno Blais, de la Barberie, aux Voûtes Jean-Talon de l'Ilot des Palais à Québec. Notons que cette levure n'est pas strictement réservée au brassage de l'annedda. Elle peut être employée pour toute bière qui se veut 100 % québécoise !

Trois versions du cahier des charges ont été rédigées suite aux différents tests. Une dizaine de microbrasseries québécoises ont participé à la mise au point de la recette finale : mentionnons Dieu du Ciel !, Le Trou du Diable, La Barberie, À l'Abri de la Tempête, Bedondaine et Bedons Ronds, La Chouape, Microbrasserie du Lac St-Jean, Le Naufrageur, Brasseur de Montréal…

Le style annedda peut être fabriqué par toutes les brasseries, petites ou grandes, partout dans le monde. Il peut également être fait à 100 % de matières premières québécoises ou non, de la même façon qu'au Québec, on brasse des styles internationaux avec des matières premières locales !

Source : *Michel Gauthier – « Cahier des charges, bière Annedda »*

CLASSIFICATION DES BIÈRES

Le brassage, le temps et la température sont les éléments-clés pour produire différents types de bière. On retrouve trois grandes familles : les lagers (basse fermentation), les ales (haute fermentation) et les lambics (fermentation spontanée).

→ **Les lagers** : Membres de la famille la plus récente, ces bières fermentent à basse température, généralement entre 4 et 14 °C, avec des levures qui sont actives dans le bas de la cuve et ce, pour une durée d'environ une semaine. Les Allemands et les Tchèques sont les maîtres de ce style. Bock, Dunkel, Doppelbock, Dortmunder, Eisbock, Munich Helles, Pislner et Märzen, entre autres, sont associés à cette famille. À Montréal, l'Amère à Boire est une brasserie artisanale qui offre des lagers de grande qualité, sans oublier TchèqueBec à Contrecœur. La Belle Gueule Originale des Brasseurs RJ, la Claire de l'Alchimiste, la Maibock des Trois Mousquetaires et la Seeraüber de Corsaire Microbrasserie sont aussi des exemples de ce style.

→ **Les ales** : La fermentation haute dure moins d'une semaine et la température du brassin doit être réglée entre 15 et 25 °C, parfois plus, afin de permettre le développement des levures dans le haut de la cuve. C'est dans cette famille que sont classés plusieurs types de bières généralement plus savoureuses, corsées et alcoolisées : Abbaye, Altbier, Barley Wine (vin d'orge), Dunkel-Weizen, Hefe-Weizen, India Pale Ale, Porter, Rauchbier, Saison, Scotch Ale, Stout, Trappiste, Witbier... Une grande majorité des bières de microbrasseries québécoises sont issues de ce type de fermentation.

→ **Les lambics** : Cette appellation est, en principe, exclusivement réservée aux bières issues de la méthode artisanale de brassage de la vallée de la Senne, en Belgique. C'est dans des cuves peu profondes que le moût est placé à l'air libre. Il reçoit alors la visite de levures indigènes provenant de la région et présents dans l'air ambiant, et sera mis en tonneaux de bois pendant plusieurs mois afin de continuer la fermentation. En plus des lambics, on retrouve également les krieks, les gueuzes et les faros dans cette famille.

Le service

→ **Les lagers** : Ces bières doivent être préférablement consommées peu de temps après leur mise en marché et servies à une température de 4 à 6 °C, dans un verre de forme allongée. Assurez-vous qu'il soit impeccablement propre et rincez-le à l'eau froide avant le service. Quand vous versez la bière, inclinez le verre et remplissez-le au 2/3. Redressez le verre et éloignez la bouteille tout en versant afin de former un col de mousse (hauteur de deux doigts).

→ **Les ales** : Se conservant plus longtemps que les lagers, voire même des années pour certaines bières fortes et extrafortes, vous pouvez les garder jusqu'au moment choisi de dégustation à condition de les maintenir à une température de 6 à 10 °C. Les servir entre 5 et 12 °C dans un verre sur pied ayant la forme d'une coupe ou d'un calice. Celui-ci doit être propre et sec, et nul besoin de le rincer. Inclinez le verre et versez jusqu'à obtention de la hauteur de col souhaitée et redressez ensuite. Pour les bières sur lies, vous pouvez toujours en laisser un peu dans la bouteille afin d'éviter les dépôts mais il est préférable de tout verser*. Servez une blanche ou une autre plus acide à très fraîche température mais une bière forte ou extraforte se dégustera à température ambiante.

→ **Les lambics** : Les servir dans un verre propre et rincé de forme allongée, à une température de 5 °C pour les lambics et de 10 °C pour les krieks. Quand vous versez, éviter le contact avec la paroi du verre pour aider à la formation du col. Leur mousse est en effet peu persistante !

*On parle souvent avec gêne du dépôt au fond d'une bouteille de bière et on a grand tort. La lie, qui est le lit de levure au fond de la bouteille, est parfaitement saine, agréable, savoureuse et bénéfique pour la santé. C'est elle qui permet à la bière refermentée de se conserver aussi longtemps et de s'affiner après son embouteillage. C'est aussi pour nous – que Dame Nature soit bénie – un concentré de vitamines du complexe B. Des vitamines semblables à celles que l'on trouve dans le pain, le vin ou les comprimés vitaminiques que l'on prend quotidiennement. On y retrouve de la Thiamine (B1), de la Riboflavine (B2), de l'Acide Nicotinique (B3), de l'Acide Pantothénique (B5), de la Pyridoxine (B6), du Méso-inositol (B7), de l'Acide Folique (B8) et de la Cobalamine (B12). Cette lie, qui n'attend que de nous surprendre agréablement, fournit entre 2 % et 50 % des apports quotidiens nécessaires de chacune de ces vitamines. Certains avancent même l'idée que la lie est le meilleur remède préventif contre la gueule de bois du lendemain !

« Une bière sans mousse, c'est comme un crayon sans pointe »

— Robert Dawson

La dégustation

En bièrophilie, toutes les bières méritent d'être goûtées. Évidemment, les meilleures bières reviendront plus souvent dans le verre. Pour ajouter à la tâche déjà ardue du choix d'une bière, il est important de garder en mémoire que c'est parmi les meilleures bières au monde qu'il est le plus probable de trouver une bouteille ou un lot décevant.

Les brasseries artisanales, y compris celles qui embouteillent via un partenariat, gardent les passions vivantes chez l'amoureux de la bière. Le brasseur artisan, grâce à une production plus limitée et à son omniprésence à toutes les étapes du brassage, peut se permettre de prendre le temps pour faire les expériences nécessaires afin de produire une bière d'exception. L'œuvre pourra profiter des améliorations que le brasseur y apportera au fil des brassins, jusqu'au moment où il la trouvera parfaite. Le temps et la patience du brasseur sont souvent récompensés par la naissance d'une toute nouvelle bière de dégustation. Pour ces raisons, on retrouve souvent à la sortie de ces toutes petites brasseries, des produits comptant parmi les plus grands bijoux brassicoles. Des bières qui évoluent avec l'âge, les conditions d'entreposage ou au gré des caprices du brasseur et de Dame Nature. Quoique ces conditions ne soient point incontournables et souffrent de nombreuses exceptions, elles demeurent néanmoins de bonnes indications.

Sachez toutefois que, depuis plusieurs années, bon nombre de microbrasseries ont emboîté le pas en termes de bières de dégustation, surtout en ce qui a trait aux produits en édition limitée. On assiste à une véritable révolution des papilles où même les styles se côtoient et se mélangent pour donner des bières uniques et totalement inusitées. La Black IPA en est un exemple flagrant. Justement, à ce sujet, voici une partie de l'article « Et si on s'en foutait des styles », écrit récemment par Philippe Wouters de Bières et Plaisirs (nous vous suggérons de lire l'article en entier sur son site Internet pour en comprendre la portée) :

« Si on se concentre un peu sur l'histoire de la bière, on en fait l'analyse rapide suivante :

- ➔ *Que la plupart des styles nous viennent des trois principaux pays qui ont influencé le monde brassicole : l'Allemagne, la Belgique et l'Angleterre.*
- ➔ *Que plusieurs de ces styles définissent la matière première ou le type de grain désiré à utiliser (Weizen, Stout...).*
- ➔ *Que certains d'entre eux ont, historiquement, une appellation d'origine contrôlée (Kölsch, Dortmunder, Berliner Weisse, Pale Ale, Pilsner...).*
- ➔ *Que plusieurs styles doivent être brassés à une époque bien précise du calendrier de brassage (Saison, bières de mars, bières de Noël...).*

Mais aujourd'hui, la plupart des brasseurs qui s'inspirent de ces styles ne respectent plus les coutumes associées. On cherche un goût ! » Et l'idée n'est pas pour nous déplaire, bien au contraire !

Pour en revenir à la dégustation, elle est avant tout une expérience personnelle. Ce sont nos sens qui goûtent la bière. Elle sera donc dégustée, analysée, décryptée en fonction de ce que nos sens connaissent. Une bouche qui n'a jamais goûté de saveurs de malt ne saura les reconnaître. Une bouche qui a passé la dernière heure à goûter d'intenses saveurs de malt aura plus de difficulté à reconnaître cette saveur à dose plus réduite. Comme chacun de nos sens, le goût se forme par l'expérience et il se déforme momentanément à l'usage. En fait, il s'habitue et s'adapte à la présence d'une saveur.

C'est pourquoi il est important d'organiser les dégustations en fonction de ces règles de manière à neutraliser l'effet d'adaptation. Dans une dégustation avec de multiples bières, on tentera de déterminer l'ordre des bières en fonction d'une escalade de saveurs. On tentera autant que possible de briser l'effet d'accoutumance dans le but de donner le plus de chances possibles aux bières plus simples de divulguer leurs personnalités. Une bière légère précédée d'une bière forte et savoureuse aura l'air ridicule, alors que l'inverse lui donnera toutes les chances de s'exprimer.

Les yeux. La vue nous permet de rompre la glace avec celle qui nous est présentée. Ce sont les yeux qui donneront la première impression sur une nouvelle bière. Un beau verre propre, de préférence transparent, débordant d'une belle bière surmontée de son collet de mousse attitrée fera saliver avant même que les autres sens ne puissent en avoir noté la présence. Les yeux seront les premiers à noter si la bière qui est servie est fidèle à ce que la mémoire laissait présager d'elle.

À nos yeux, les bières n'ont pas toutes les mêmes propriétés. D'un extrême à l'autre, certaines bières sont claires comme des joyaux, limpides et chargées de gaz carbonique intense qui laissent à peine le temps de remarquer un collet alors que d'autres sont denses, obscures, appétissantes et habituellement surmontées d'un riche collet d'une mousse fine que semble vouloir s'éterniser. L'important est que chacune laisse observer les propriétés qui lui sont normalement connues.

Le nez. Le nez de l'humain, malgré ses limites, demeure un outil indispensable. À l'état brut, il envoie des signaux d'approbation ou de désapprobation sur ce qui s'approche de la bouche afin de nourrir l'humain qu'il surplombe. Un arôme inconnu et le signal incite à la méfiance. Une odeur forte et voilà l'alerte générale! Une fois domestiqué, le nez devient le roi de notre sens gustatif. Dans le processus de la dégustation, le nez prend le relais des yeux pour le plaisir des arômes et se transforme par la suite en un inséparable coéquipier de la bouche. Pour bien comprendre le rôle de notre appendice nasal, il suffit de s'imaginer avec un sérieux rhume ou une allergie pour comprendre que les goûts sont affadis indiscutablement lorsqu'on doit s'en priver.

Chaque bière a ses propriétés aromatiques. Certaines dégageront des saveurs de céréales, d'autres de houblons, d'épices ou de levures, ou même, tour à tour, tous ou plusieurs de ces arômes ou d'infinies possibilités de combinaisons et/ou de variantes. L'important est de prendre le temps de savourer ces arômes. Il suffit de porter notre verre près de l'organe sensoriel afin de découvrir le monde volatile de la bière: des arômes dominants et d'autres plus subtils.

La bouche. Ah, la bouche... Dans notre bouche, une combinaison de nos sens joue avec la bière et notre cerveau. Le goût, bien évidemment, mais aussi le toucher et l'odorat. La chaleur de la bouche fait littéralement jaillir les saveurs de la bière. Profitant de cette manne, le goût percevra les saveurs de la bière grâce aux papilles gustatives alors que simultanément, le nez en percevra les arômes dégagés. Ces deux stimuli arriveront au cerveau en même temps laissant croire à une seule et même sensation. Cette sensation est celle que l'on considère communément comme étant le goût de la bière. Par contre, en s'amusant à faire tourner sept fois la bière dans notre bouche avant de l'avaler, nous pourrons découvrir une multitude de saveurs et d'arômes jouant de caractères et de subtilité avec chaque région de notre bouche et nos cils olfactifs. Ses saveurs autrement timides se modifieront pendant le processus de réchauffement du liquide et ce, jusqu'au prolongement de l'arrière-goût, cette arrière-garde des saveurs encore présentes quelques instants après avoir avalé la bière.

Lorsqu'on est capable de s'amuser avec son corps de façon à tirer plaisir de voir, humer et savourer une bière, c'est que l'on est un honnête dégustateur.

« Mieux vaut déguster avec modération que de s'abstenir avec exagération. »

— Mario D'Eer

L'emballage. Ici on parle de l'emballage physique de la bière (la bouteille, les étiquettes, le bouchon, etc.). Suite aux présentations d'usage avec la bière, c'est-à-dire les premières gorgées, il est parfois intéressant de jeter un coup d'œil sur l'emballage. Souvent celui-ci donnera de bonnes indications sur l'origine du produit, son créateur et ses valeurs. On pourra régulièrement constater que le contenant et ses apparats reflètent assez fidèlement le degré d'artisanat de la bière qu'il contient, ainsi que la personnalité du brasseur qui l'a créée. À ce propos, le Mondial de la Bière a créé un nouveau concours s'adressant aux brasseries d'ici et d'ailleurs : MBière Design. Le but avoué est d'honorer l'investissement esthétique au niveau du design de la bouteille et de l'habillage (bouteille, sceau, étiquette, contre-étiquette, relief bouteille/étiquette, collet et pendentif). Quelle bonne idée !

La discussion. Les goûts se discutent mais la règle est de ne pas chercher à s'obstiner. Il est toujours agréable de discuter d'une expérience gustative avec des amis. En ne perdant pas de vue que l'expérience gustative est *intuitu personae*, on peut mettre en commun ses découvertes et discuter joyeusement sur les conditions idéales pour cette bière, pour l'avenir de la terre ou pour imaginer un nouveau gouvernement ultra-efficace dont la principale promesse électorale serait d'assurer une juste et intarissable distribution des meilleures bières du monde à tous les bièrophiles du pays !

En résumé, nul besoin de gourou pour s'initier à la dégustation de la bière. Il suffit d'avoir une bière avec de la personnalité, un verre propre, un moment de tranquillité, un minimum de confort, et un peu d'attention sur ce qui se passe dans l'interaction humain-bière. Il ne faut surtout pas désespérer de ne pas tout saisir du premier coup. La progression est l'assurance d'un plaisir sans cesse renouvelé. Il suffit de s'arrêter un instant pour constater le moment présent et de tirer avantage de tout ce qu'il nous offre.

« On devrait d'abord chercher quelqu'un avec qui boire et manger avant de chercher quelque chose à boire et manger. »

— Épicure

Et pourquoi ne pas accompagner votre dégustation de bonnes victuailles ? Le gibier, les pâtés et terrines, le poisson avec sauce citronnée, les fromages et même les desserts sont, entre autres, des candidats parfaits pour un mariage réussi. N'oubliez pas ce principe : pour un bon accord mets et bières, choisissez selon les propriétés gustatives de chacun. À la bonne vôtre !

APPORTEZ VOTRE BIÈRE !

Il est permis d'apporter son alcool dans près d'un millier de restaurants au Québec. La plupart d'entre nous les désignons communément comme des restos « apportez votre vin ». Lors d'un sondage effectué auprès de 1 000 Québécois en mai 2008, 62 % des répondants ont affirmé douter ou ignorer s'il était possible d'apporter de la bière dans les restaurants ayant un permis pour servir. À notre plus grand bonheur, la réponse est oui ! Il est donc grand temps de changer nos habitudes !

POUR EN SAVOIR PLUS

Le monde de la bière sur le web

BEERADVOCATE : « RESPECT BEER »

www.beeradvocate.com

Fondé par deux frères passionnés de la bière, Jason et Todd Alstrom, ce site anglophone est une grande référence pour la communauté indépendante de bièrophiles et bièrophoux. BeerAdvocate, c'est un magazine, un calendrier des événements et festivals, un forum, des critiques de bières et lieux de brassage, un répertoire mondial des brasseries et bars spécialisés, des tonnes d'articles, etc.

BEERME !, THE MOST COMPLETE SOURCE OF BREWERY INFORMATION WORLDWIDE

www.beerme.com

Une référence très connue des amoureux du houblon qui répertorie plus de 35 000 bières provenant des quatre coins de la planète. La liste des brasseries et microbrasseries est tenue à jour et est fort complète, notamment pour le Québec. Pour les avides de découvertes, visitez le « Beer Hall of Fame ».

BIÈRES DU QUÉBEC, PARCE QUE ÇA BRASSE CHEZ NOUS !

www.bieresduquebec.ca

Ce site se veut un répertoire et un réseau social portant sur nos excellents brasseurs québécois et leurs divins produits. On y trouve également la liste des festivals et des points de vente par région. En créant gratuitement votre profil, vous pourrez commenter chaque élément du site web, vous afficher comme amateur et accéder au profil des autres membres. Friands d'actualité, la section blogue vous tiendra au parfum des dernières nouvelles de notre industrie brassicole.

BIÈRES ET PLAISIRS

www.bieresetplaisirs.com

Site tout indiqué pour le côté gourmand qui sommeille en vous : la bière et la gastronomie réunies pour un mariage des plus savoureux. Mais Bières et Plaisirs, c'est également l'actualité du monde brassicole, un forum, un blogue des collaborateurs, le bimestriel Bières et Plaisirs, la journée québécoise de la bière, un Club des Bières aux nombreux privilèges et activités (quoi, vous n'êtes pas encore inscrit ? !), ainsi qu'une foule de services pour les particuliers et les entreprises (visites de microbrasseries, ateliers de dégustation, conférences, activités de team building, etc.). LA référence au Québec !

BIÈROPHOLIE, TOUS FOUS DE LA BIÈRE

www.bieropholie.com

Plusieurs connaissent Bièropholie pour son site Internet regroupant les amateurs de houblon : un babillard (haut lieu de tous les potins brassicoles, là même où les propriétaires de brasseries en apprennent parfois sur ce qui se passe dans leur plan de production), un forum pour les collectionneurs, une section d'importations privées (le club offrant la plus grande sélection de bières au Canada grâce au travail bénévole de Yowie), ainsi que plusieurs ressources utiles telles les points de vente, des hyperliens, des idées de recettes, etc.

René Huard, qui avait mis sur pied Broue.com en 1996 avec Marc Bélanger du Broue Pub Brouhaha, a créé cette référence du monde brassicole sur le web avec l'aide de Michel Cusson vers la fin des années 1990. Depuis quelques années, Hughes Gauthier, bien connu sous le nom de « Yowie », a pris la relève de René à la barre de Bièropholie. Hughes, dont l'énergie est inépuisable, insuffle une énergie nouvelle afin de multiplier les services offerts par Bièropholie tout en respectant les valeurs de « joie de vivre » et de « liberté d'implication » chères à ses fondateurs. Pour mieux comprendre l'idée, il suffit de prendre connaissance de la définition officielle de Bièropholie :

Nom moderne donné à la passion un peu folle de la bière de spécialité. Du français « bière » qui rappelle que l'objet visé est la bière et du mot grec « philos » signifiant ami. Ce dernier est légèrement déformé par l'ajout d'une saine dose de folie afin de le transformer en « pholie ».

BREWPUBLIC : CRAFT BEER NEWS AND INFORMATION BLOG FROM PORTLAND, OREGON

www.brewpublic.com

Si vous prévoyez une escapade gambrinale dans le nord-ouest américain, ce site vous mettra au parfum de l'actualité brassicole régionale. Son équipe de blogueurs a réussi à créer une véritable communauté de bièrophiles fiers de partager leurs découvertes houblonnées. Une boutique en ligne et un calendrier des événements viennent compléter l'expérience.

THE CANADIAN AMATEUR BREWING ASSOCIATION (CABA)

www.homebrewers.ca

Portail officiel de l'association canadienne des brasseurs amateurs. Cette organisation à but non lucratif se voue à la promotion du brassage maison et à l'éducation des brasseurs amateurs via, entre autres, des séminaires, ateliers et publications. Créé en 1984, à la base comme forum afin de partager idées, techniques et passion commune pour le brassage, le CABA a pris de l'ampleur et organise même des événements annuels tels que des conférences, des compétitions et des séminaires de formation sur la dégustation et l'évaluation. L'abonnement annuel est offert au coût minime de 10 $ et comprend de nombreux services et ressources pour le brasseur amateur qui sommeille en vous.

ÇA BRASSE !, VOTRE PORTAIL BRASSICOLE AU QUÉBEC

www.cabrasse.ca

Animé par une équipe de passionnés maîtrisant fort bien le sujet, ce site se veut « une nouvelle vitrine intégrée sur tous les aspects du brassage artisanal ». Actualité et informations brassicoles sont au menu mais également un répertoire des brasseries québécoises, une Twittosphère brassicole, des blogues, des photos et vidéos, des concours alléchants, des ressources précieuses sur les sciences du brassage, etc. Pour ceux désirant un soutien « tout en bulles » pour leur événement, l'équipe propose aussi des solutions « bières en main ». Finalement, il possible de joindre cette communauté dynamique en créant gratuitement son compte d'utilisateur en ligne.

L'INSTITUT DE LA BIÈRE

www.institutdelabiere.com

L'Institut est avant tout une association qui représente les intérêts des consommateurs de bières. Des activités, conférences et sorties « gambrinales » sont proposées tout au long de l'année. Certaines activités de développement des compétences en matière de dégustation ainsi que le programme d'importation privée sont exclusivement réservés aux membres de l'Institut. Le formulaire d'adhésion (35 $ par année) est disponible sur le site Internet.

LE BEER JEDI

www.lebeerjedi.com

Il est partout et impossible de ne pas le reconnaître, t-shirt officiel à l'appui ! Guillaume Rondeau est un dégustateur invétéré qui parcourt festivals et brasseries à la conquête de découvertes houblonnées. Vous pouvez suivre ses dégustations et commentaires sur sa page Facebook (Le Beer Jedi) ainsi que sur son site Internet. Son objectif : déguster 1 000 bières différentes dans les mois et années à venir !

LES BIÈRES DE CHEZ NOUS

www.lesbieresdecheznous.com

Un petit site fort intéressant pour quiconque désire connaître l'historique de chacune de nos microbrasseries et brasseries artisanales québécoises. On y trouve également des idées de recettes savoureuses ainsi que de l'actualité brassicole.

LES BRASSERIES DU QUÉBEC

www.jpbarbo.com

Jan-Philippe Barbeau, brasseur de métier et fondateur de la brasserie artisanale Loup Rouge à Sorel-Tracy, a créé il y a plusieurs années ce répertoire web du monde québécois de la bière. Un site à jour, très complet, listant les microbrasseries et brasseries artisanales, y compris les projets d'ouverture, les points de vente spécialisés et plusieurs références utiles sur l'industrie brassicole.

LES COUREURS DES BOIRES

www.lescoureursdesboires.blogspot.ca

Probablement un des blogues les plus intéressants pour les bièrophiles en quête d'aventures houblonnées et de découvertes brassicoles. Maintenu et enrichi avec passion par deux fins connaisseurs du milieu et grands voyageurs de surcroît, Martin Thibault et David Lévesque Gendron, ce site présente des rubriques toutes plus ludiques les unes que les autres : « guides » de voyage, fiches de grands crus, actualité, tendances, dégustation, événements, etc. Une section est aussi dédiée aux autres boissons (cidres, hydromels, vins, spiritueux, thés, jus, etc.). Mais Les Coureurs des Boires, c'est également de superbes ouvrages : La Route des Grands Crus de la Bière – Québec et Nouvelle-Angleterre, et Les Saveurs Gastronomiques de la Bière (*voir rubrique « à lire, à voir » pour tous les détails*).

MARIO D'EER

www.mariodeer.com

Mario D'Eer, enseignant-biérologue passionné, est une personnalité incontournable dans le milieu. Sa feuille de route est impressionnante, allant d'auteur prolifique de livres et de chroniques à expert-conseil, conférencier et éditeur. C'est également le fondateur et idéalisateur du Festibière de Chambly (devenu Bières et Saveurs), le co-fondateur de l'Ordre de Saint-Arnould (devenu Bièropholie), le fondateur de BièreMag, l'actuel président du Festibière de Gatineau, l'instigateur du projet Annedd'ale (désormais Annedda), et le biérologue de l'émission Ça va brasser!. Et la liste est encore longue! En 2010, lors du Gala Reconnaissance du congrès de l'AMBQ, il a reçu l'hommage « bâtisseur » pour sa contribution exceptionnelle au monde brassicole. Dans la même lignée, lors du Canadian Brewing Awards en juin 2012, il a reçu le prix « Éducateur de l'année » afin de rendre hommage à sa carrière en tant que promoteur de la bière et éducateur des consommateurs. Son site Internet, qui ne se veut toutefois pas un blogue, contient bon nombre d'excellents articles sur le sujet. À découvrir !

PUBQUEST, PUTTING CRAFT BEER ON THE MAP

www.pubquest.com

Envie de partir sur les routes de l'Amérique du Nord à la découverte des bières artisanales ? Planifiez votre voyage grâce au moteur de recherche de PubQuest, un site bien à jour qui vous permet d'identifier les établissements sur une carte géographique ou via des critères précis (par province/état, par nom, etc.). Un excellent répertoire ! Il est également possible de devenir membre (10 $ par an) ce qui donne droit à plusieurs rabais intéressants, notamment dans les brasseries artisanales américaines.

QUÉBECBIÈRE

www.quebecbiere.info

Service géré par l'Auberge Douceurs Belges de Québec. Contrairement à ce que le nom pourrait laisser croire, ce site n'est pas dédié à nos produits locaux mais bien aux bières du « plat pays » ! C'est un site transactionnel s'adressant tant aux particuliers qu'aux restaurateurs pour l'importation de bières belges, lesquelles seront livrées à la SAQ. Les commandes, qui ont lieu 3 ou 4 fois l'an, se font par caisse (12 ou 24 bouteilles) et le délai de livraison varie entre 3 et 6 mois. Les demandes spéciales sont les bienvenues !

RATEBEER : GREAT BEER MADE EASY

www.ratebeer.com

Fondé en mai 2000 par Bill Buchanan, à la base comme forum pour les amoureux de la bière, les efforts de nombreux bénévoles pour maintenir ce site et l'enrichir ont fait de RateBeer le site préféré des critiques de bières. En tant que membre de la communauté RateBeer, vous pouvez faire vos propres évaluations et partagez vos découvertes avec les autres bièrophiles. Différents types d'abonnements sont offerts (gratuit ou premium).

SCOOP.IT : DEUX BLOGUES À SUIVRE

Katia Bouchard, alias Katchouk : Biertrotter, est une passionnée de tout ce qui touche le monde brassicole. De par son métier, directrice des communications et gestionnaire de communauté au Mondial de la Bière, elle se tient au parfum de l'actualité et des dernières tendances. Biertrotter, elle parcourt également les routes des bières, ici et ailleurs, à la rencontre des artisans du fourquet. À lire sans retenue : **www.scoop.it/t/biertrotter**. Autre blogue de Katia (billets d'humeur et anecdotes sur les voyages, la bière, l'histoire et les communications) : **https ://katchouck.wordpress.com/**

Un autre blogue à suivre : celui de Marc-Olivier L'Espérance. Actualité, suggestions, anecdotes, impressions personnelles et beaucoup plus s'y trouvent : **www.scoop.it/t/biere**. Il tient également un site Internet avec, au menu, des articles sur la bière et la dégustation, un page sur les gadgets, des idées de recettes à la bière, des articles humoristiques, une liste de sites intéressants, des fonds d'écran… Vous pouvez même vous procurer des items à l'effigie du Blogue de Bières (t-shirts, tablier de cuisine, sac recyclable, etc.) : **www.bloguedebieres.com**

SOCIÉTÉ DES ALCOOLS DU QUÉBEC

www.saq.com

Le site de la SAQ informe sur la disponibilité de nos bières favorites en succursale et en explique beaucoup sur l'histoire, la classification, le service et la dégustation de la bière. Bonnes suggestions pour l'accord mets et bières.

À lire, à voir

BIÈRES ET PLAISIRS

www.bieresetplaisirs.com

Depuis février 2009, l'excellent site d'actualité brassicole a son propre journal. Édité par les Éditions BPL sous la gouverne de l'épicurien et sommelier en bières Philippe Wouters, une personnalité incontournable dans le domaine, et distribué gratuitement aux quatre coins de la province, ce bimestriel traite des sujets de l'heure dans le monde de la bière, de la gastronomie avec un accent sur les produits du terroir, de tourisme gourmand, et bien plus encore. Il est également possible de le télécharger directement sur leur site web. Une référence de grande qualité pour quiconque, amateur ou bièrophile aguerri, désire être au parfum des dernières tendances dans l'industrie.

ÇA VA BRASSER!

www.vtele.ca (émissions disponibles en ligne)

Animée par Caroline Leclerc, une passionnée jusqu'au bout des ongles du domaine brassicole québécois, ce programme télé était un rêve qu'elle caressait depuis cinq ans. Elle ne peut qu'être fière du résultat car Ça va brasser! est la première émission hebdomadaire entièrement dédiée sur le sujet, résultat d'une collaboration étroite avec l'Association des microbrasseries du Québec (AMBQ). Chaque semaine, elle nous fait découvrir une microbrasserie ou brasserie artisanale, son histoire, ses produits, sans oublier la grande passion (autre que la bière!) du brasseur. Le tout est ponctué de capsules informatives très intéressantes, surtout pour quelqu'un qui découvre à peine la bière québécoise (ou la bière tout court!). Nous aimerions ici lever notre choppe aux capsules de Laura Urtnowski, un pur bijou! Le tout se conclut sur un accord mets et bières avec nul autre que le biérologue Mario D'Eer. Sachez qu'une bière a spécialement été concoctée pour l'émission par 13 brasseurs d'ici et devrait apparaître sur les tablettes des détaillants à la fin de la première saison, soit à la fin juillet 2012. C'est une bière de type Saison à 7 %, issue d'un savoir-faire collectif et composée d'ingrédients bien de chez-nous: céréales crues du Lac Saint-Jean, sarrasin malté en Mauricie, des houblons du Nouveau-Monde et une touche d'herbes des Laurentides. Chapeau à toute l'équipe derrière Ça va brasser! pour cette magnifique vitrine offerte aux artisans brasseurs québécois! Cheers et vivement la suite!

EFFERVESCENCE

www.effervescence.ca

Effervescence est un magazine gourmand qui traite bien entendu de la bière, mais également des vins et spiritueux. Tourisme gourmand, idées recettes et suggestions d'ouvrages culinaires font également partie du contenu rédactionnel. Un must pour les papilles! Il est disponible en kiosque et peut être envoyé à domicile.

LES COUREURS DES BOIRES

www.lescoureursdesboires.blogspot.ca

(Texte écrit par Martin Thibault et David Lévesque Gendron pour le guide Petit Futé Bières au Québec.)

La route des grands crus de la bière, médaillé d'or au Concours des livres culinaires canadiens, arpente le Québec et les six états de la Nouvelle-Angleterre, là où certains artisans-brasseurs offrent des chefs-d'œuvre en matière de bière. Véritable compagnon tant pour le néophyte que pour l'amateur chevronné, ce livre permet de découvrir les rudiments de la dégustation avant de se lancer dans une critique de chacune des brasseries du vaste territoire à l'étude. La troisième section se consacre aux créations les plus marquantes brassées dans le nord-est (les grands crus!) pour finalement inviter le lecteur, en dernier lieu, à voyager pour découvrir ses propres coups de cœur par l'entremise d'itinéraires de voyage suggérés.

Le nouvel ouvrage des deux auteurs, à paraître à l'automne 2013, se présentera en deux tomes, dans un coffret. Intitulé *Les saveurs gastronomiques de la bière*, il se veut un abécédaire pour dégustateur étoffé suivi d'une étude approfondie sur l'origine et l'identité de l'incroyable variété de flaveurs de la bière. On y repensera la classification des bières sur la base de ces flaveurs pour ensuite se servir de ces assises afin de guider l'amateur de façon bien pragmatique vers le nirvana des harmonies entre bières et mets. L'approche visuelle et pédagogique, étayée par les photos parfois éclatées de David Gingras, étoffe le propos de cet ouvrage qui pourrait faire des vagues dans le monde brassicole.

LES MICROBRASSERIES DU QUÉBEC

www.broquet.qc.ca

Nous pouvons être fier de boire québécois et encore plus lorsque de beaux ouvrages de ce type mettent si bien en valeur notre industrie brassicole d'ici. Cette deuxième édition, parue en 2012, est l'œuvre de deux grands passionnés: Jean-François Joannette et Guy Lévesque. Mais c'est également un beau travail d'équipe auquel ont contribué plusieurs bièrophiles aguerris. Cet ouvrage de 360 pages s'adresse tant aux néophytes qu'aux grands amateurs. On y retrouve plusieurs sections de grand intérêt: les disparues, les microbrasseries et brasseries artisanales, les bars, bistros et restaurants spécialisés, les gens qui ont marqué l'industrie, les groupes d'amateurs, les cocktails à la bière et nous en passons. Le tout est agrémenté de superbes photos! Bref, un livre incontournable, disponible en librairie et en téléchargement en ligne, et une excellente idée de cadeau pour toutes occasions! Chapeau!

ROUTE24

www.route24.tv

Une webtélé de «trippeux» de bières qui a débuté sur le net en 2010. Les quatre comparses parcourent les routes de la Belle Province à la découverte de notre industrie brassicole québécoise. Dégustations, rencontres avec les brasseurs et anecdotes sont entre autres au programme. Nettement plus informel que l'émission Ça va Brasser!, il reste qu'on y apprend plusieurs choses intéressantes. Une vingtaine d'épisodes est en ligne et la webtélé devrait reprendre sous peu (voir page Facebook pour tous les détails). Notre coup de cœur: les capsules avec les brasseurs!

Et pour les amoureux de la langue de Shakespeare...

ALL ABOUT BEER

www.allaboutbeer.com

All About Beer est un pilier de l'actualité brassicole chez nos voisins du Sud. Leur site regorge d'articles sur le domaine et possède même un moteur de recherche pour les brasseries artisanales et points de vente spécialisés à travers les États-Unis. Des frais supplémentaires sont exigés lors de l'abonnement pour les frais d'envoi du magazine au Canada.

TAPS THE BEER MAGAZINE

www.tapsmagazine.com

Référence canadienne incontournable de l'actualité brassicole, le magazine TAPS est publié quatre fois l'an. Dédié à tout ce qui touche le merveilleux monde de la bière, tant ici qu'aux quatre coins du monde, il couvre une multitude de sujets: l'industrie de la bière artisanale, les personnalités du milieu, l'histoire de la bière, le brassage maison, des entrevues, des récits de voyages, des idées pour l'accord mets et bières, des dégustations, etc. Tous les rédacteurs sont de fins connaisseurs qui partagent avec vous cette passion commune. Il est possible de s'abonner afin de recevoir le magazine directement dans le confort de son foyer ou pour télécharger en ligne toutes les éditions. Sachez finalement que TAPS Media, société mère du magazine, est en charge de l'organisation du concours Canadian Brewing Awards qui a lieu une fois l'an depuis près d'une dizaine d'années (www.canadianbrewingawards.com).

Abièrecédaire

© NRL

AVRIL 1435

Sans s'étaler sur l'étymologie du mot bière, cette dernière étant incertaine et complexe, sa première apparition daterait de 1429 et serait une dérive du latin *bibere* qui signifie « boire ». Selon plusieurs écrits, il serait ensuite apparu dans un traité officiel, datant du 1er avril 1435, afin de remplacer le mot *cervoise* jusqu'ici employé pour désigner une bière faite d'orge et autres céréales. L'introduction du houblon dans la fabrication de la bière remonte à cette même époque et devient alors sa principale caractéristique : amère, aromatique.

BIÈRES ACADÉMIQUES

Si plusieurs l'ignorent, la recherche, l'innovation et le développement de nouvelles méthodes en brassage de bières fait partie du cursus de plusieurs étudiants en milieu universitaire ou en école spécialisée. Formés en groupes techniques, ces derniers élaborent plusieurs recettes avec l'aide d'une microbrasserie partenaire. On n'a qu'à penser à Sherbroue de l'Université de Sherbrooke qui a entre autres développé L'Ingénieuse, une Red Ale disponible à la brasserie de leur partenaire, le Siboire (*voir section « Cantons-de-l'Est » pour toute info*) ; à Microbroue de l'Université Laval et sa Scotch Ale ULav'Ale, résultat d'un partenariat avec le Benelux ; ou encore à l'Institut de tourisme et d'hôtellerie du Québec (ITHQ) qui, grâce à une initiative étudiante du programme Gestion appliquée en restauration, dans le cadre du cours Commercialisation de produits et services, a développé le nom et le concept de l'étiquette de deux bières brassées par Brasseur de Montréal, la CravaT et la Brindacier, disponibles exclusivement aux restaurants de l'ITHQ. Qui a dit qu'on ne pouvait pas jumeler apprentissage académique et bière artisanale ?!

CERVESIA (CERVOISE)

Cervesia vient du terme *Ceresis vitis* signifiant « Vigne de Cérès ». On raconte qu'à l'époque des Gaulois, Cérès, déesse des moissons et des céréales, aurait découvert la bière. Dans son infinie bonté ou plutôt grâce à son bon goût, elle aurait partagé les secrets de sa fabrication avec les peuples dont les terres ne se prêtaient guère à la culture du raisin. Par surcroît, l'eau potable devenant une denrée de plus en plus rare, la cervoise devint la boisson désaltérante par excellence, d'où peut-être cette réputation qualifiant les Gaulois de grands buveurs…

DAS DEUTSCHE REINHEITSGEBOT

Encore suivi à la lettre par de nombreux brasseurs allemands qui le perçoivent comme un gage de qualité, le décret sur la pureté de la bière édicté en 1516 par Guillaume IV, duc de Bavière, dictait les normes à respecter lors de la fabrication et de la commercialisation de la bière. À cette époque, le malt d'orge, le houblon et l'eau étaient les seuls ingrédients autorisés. Par la suite, les règles sont se sont assouplies et de nouveaux arômes et saveurs ont fait leur entrée sur le marché du brassage de la bière.

ELLE... AU FÉMININ

Messieurs, lisez bien ce qui suit... Sans remettre en question le plus vieux « métier du monde au féminin », celui de brasseure fut sans contredit un des tous premiers. Tout au long de l'histoire, la femme a joué un rôle prépondérant dans le brassage de la bière. Ce n'est vraiment qu'au Moyen-âge que les hommes ont pris part à cette activité brassicole avec le début de la production de bières en abbaye. Pensons à sœur Hildegarde de l'abbaye de Prune en Allemagne qui a découvert l'importance du houblon dans le brassage ; aux différentes déesses associées à la bière telles que Cérès et Ninkasi ; aux brasseures anglaises qui seraient à l'origine des « Ales Houses », ancêtres des pubs ; ou aux Marie Rollet et Laura Urtnowski du monde brassicole québécois. Santé et que la tradition perdure !

FOURQUET

Autrefois, dans la fabrication de bière, les ingrédients étaient brassés manuellement avec un fourquet. Aujourd'hui, et dans la plupart des cas, c'est un dispositif d'agitation automatique qui mélange précautionneusement l'eau et le grain dans les cuves. Le fourquet demeure toutefois le symbole du brasseur.

GAMBRINUS

Il est le roi des buveurs et le protecteur des brasseurs en Flandres (Belgique). La légende de Gambrinus baigne dans le mystère. L'hypothèse la plus souvent retenue est qu'il s'agirait de Jean 1er, duc de Brabant au Moyen-âge, ou Jean Primus pour les intimes. Déformé par l'analphabétisme quasi-total de la population et/ou par la transmission d'une tradition orale maintenue par des édentés, on suppose que « Jean Primus » serait devenu « Gambrinus ». On croit que Jean Primus, lors d'une victoire militaire contre des bandits qui pillaient son territoire, aurait donné une grande fête où il aurait tenu un discours debout sur un grand baril de bière. C'est pourquoi on le représente habituellement comme un bon roi bien en chair, tenant une chope débordante d'une belle mousse, juché plus ou moins élégamment sur un tonneau de bière. Gambrinus est aussi le nom d'une excellente brasserie artisanale de Trois-Rivières.

HÔTEL DIANA

La bière est reconnue pour ses qualités nutritionnelles et ses effets bénéfiques pour la santé lorsque consommée avec modération. Mais saviez-vous qu'il est également possible de profiter de ses bienfaits sans même en boire une goutte? Destination: l'Hôtel Diana à Seefeld, dans la région historique du Tyrol, en plein cœur des Alpes autrichiennes. Ici, on baigne littéralement dans la bière! Le centre de santé de cet hôtel ne propose rien de moins qu'un bain thérapeutique dans un mélange non fermenté de houblon, malt et levure, le tout chauffé à environ 20 °C. Le houblon possède des propriétés apaisantes et peut être utilisé pour combattre, par exemple, des troubles du sommeil alors que la levure, quant à elle, est reconnue pour améliorer la circulation sanguine et la digestion, sans compter ses bienfaits pour la peau. Une autre bonne raison d'aimer la bière!

IPA

IPA est l'expression utilisée pour désigner une bière de type India Pale Ale. Ce style a été mis au point en Angleterre afin de conserver la bière lors des longs transports en bateau vers les colonies britanniques telle l'Inde. C'est la grande quantité de houblon qui permettait de préserver la bière sur une longue période. Aujourd'hui, les IPA sont encore reconnues pour leur goût très houblonné, particulièrement les IPA américaines.

JAMES

Plusieurs symboles nous viennent en tête en pensant à l'Irlande: le trèfle à trois feuilles, la harpe, les moutons, les farfadets, le whiskey mais surtout, la bière Guinness. Son histoire débute véritablement en 1759 lorsqu'Arthur Guinness, maître-brasseur originaire du comté de Kildare, loue une brasserie désaffectée à St. James's Gate à Dublin. Pour l'anecdote, les clauses du bail exigeaient une somme initiale de 100£ plus un loyer annuel de 45£, le tout signé pour une période de 9 000 ans! Plus de 250 ans plus tard, la Brasserie Guinness occupe toujours le site de 64 acres du St. James's Gate, à l'origine une des portes de l'ancienne ville de Dublin nommée en l'honneur de l'église et de la paroisse de St. James.

KRIEK

La Kriek («cerise» en bruxellois) est une bière belge de la famille des lambics préparée à base de cerises fraîches. Les cerises sont macérées en fût de chêne pendant plusieurs semaines, ce qui donne à la bière sa couleur rouge. Les bières de framboises ou de cassis sont souvent réalisées avec la même méthode, bien que les brasseurs aient de plus en plus recours à des essences naturelles, comme le jus de groseille, ou à des arômes de synthèses.

LOUIS PASTEUR

Louis Pasteur est celui qui a scientifiquement démontré pourquoi et comment la bière fermentait, ce qui l'a ensuite éclairé sur la manière de contrôler cette fermentation. Il a inventé la pasteurisation, opération permettant de contrôler l'évolution de la bière en tuant systématiquement la levure encore présente et en éliminant toutes traces de bactéries, l'ennemi #1 des brasseurs, assurant du coup une fixation des saveurs pour une certaine période. Grâce à ce procédé, les brasseurs peuvent maintenant éviter les brassins infectés. La pasteurisation et l'arrivée de l'industrialisation ont ouvert un nouveau chapitre dans l'histoire de la bière. Cela a notamment permis de brasser en plus grande quantité des bières plus stables mais surtout exportables. Naquirent alors les premières bières commerciales !

MÄRZENBIER

Bière d'origine bavaroise à basse fermentation, très populaire lors du fameux Oktoberfest de Munich. Pendant longtemps, la bière n'était brassée qu'en mars et ce, pour deux raisons. D'abord, des températures sous les 10 °C étaient requises pour permettre la basse fermentation. En plus, l'édit bavarois de 1539 interdisait le brassage de la bière entre le 23 avril et le 29 septembre de chaque année en raison des risques d'incendies. Que faire ? Produire en grande quantité une bière houblonnée, forte en alcool et ayant d'excellentes propriétés de conservation. Ce serait, semble-t-il, l'une des raisons qui expliquerait la tenue de l'Oktoberfest en septembre.

NINKASI

Ninkasi, qui signifie « dame de la bière » en langue sumérienne, est le nom de la première divinité associée à la bière. Il y a environ 6 000 ans, le peuple sumérien de Basse Mésopotamie brassait de la bière en l'honneur de cette déesse.

OKTOBERFEST

Parmi les fêtes dédiées à la bière, l'Oktoberfest est la plus importante. Ce culte a lieu à Munich, en Allemagne, chaque année, de la fin du mois de septembre jusqu'à début d'octobre. Avec plus de sept millions de visiteurs, l'Oktoberfest est la plus grande fête populaire du monde (nouveau record établi en 2011 avec 7,5 millions de festivaliers).

PROVERBE TCHÈQUE

« Il est possible de juger la qualité d'une bière avec une seule gorgée, mais il est préférable de vérifier rigoureusement. » Les Tchèques (sans oublier les Allemands !) sont parmi les leaders incontestables de la consommation de bière par tête d'habitant. Inventeurs de la Pils en 1842, les citoyens de la République Tchèque consomment en moyenne près de 160 litres par année. Quant aux Canadiens, ils frôlent le 20e rang, avec près de 70 litres par année. Ces données provenant du World Drink Trends 2007, elles peuvent avoir légèrement fluctuées depuis les cinq dernières années.

QUAND UN GOUVERNEMENT EST SI INSPIRANT…

Les derniers mois n'auront jamais autant vu de bières à « saveur sociopolitique » faire leur apparition sur les tablettes des détaillants. Fruits d'une imagination sans bornes, et il faut lire les étiquettes pour en comprendre toute la portée, quatre produits ont attiré notre attention ainsi que celle des consommateurs et médias. Brasseurs Illimités nous a offert à l'automne 2011 sa Magouille, une bière à la citrouille qui souligne la corruption dans le domaine de la construction. Il a récidivé ce printemps avec la Matraque, une bière à l'érable qui « fesse », en hommage au conflit étudiant. Toujours au printemps, les Brasseurs du Hameau ont emboîté le pas avec la Printemps Érable, une bière à l'érable comme son nom l'indique (sachez que 2 $ sont remis à l'Association étudiante du cégep de Sherbrooke pour chaque bouteille vendue). Finalement, suite aux malheureux événements survenus sur la terrasse de la brasserie artisanale Le Saint-Bock en mai 2012, cette dernière a brassé la Spéciale 78, une ambrée forte au poivre et houblonnée. La brasserie lui a d'ailleurs conféré le style de « Carré Rouge Ale ». Espérons toutefois que notre gouvernement ne nous donnera plus l'occasion de brasser ce genre de bières…

ROUTE DES BIÈRES AU QUÉBEC

Grâce à des alliances bien ficelées, et dans le but avoué de faire découvrir des circuits fort houblonnés, plusieurs microbrasseries et brasseries artisanales se sont unies dans la promotion d'une route des bières dans leur région.

➔ **Route des bières de l'Est-du-Québec**: elle compte pour l'instant dans ses rangs gaspésiens La Fabrique à Matane, Pit Caribou à l'Anse-à-Beaufils, Le Naufrageur à Carleton-sur-Mer, et La Captive à Amqui. Cette route houblonnée, initiée en 2010, s'étend également aux régions du Bas-Saint-Laurent (Aux Fous Brassant à Rivière-du-Loup et Le bien, le Malt à Rimouski) et des Îles de la Madeleine (À l'Abri de la Tempête à L'Étang-du-Nord). Pour info: www.lebienlemalt.com/route-des-bieres-de-lest-du-quebec/

➔ **Route des bières du Saguenay-Lac-Saint-Jean:** sous forme de carte postale, la région vous invite à venir visiter quatre microbrasseries phares, soit La Chouape à Saint-Félicien, la Microbrasserie du Lac Saint-Jean à Saint-Gédéon, La Voie Maltée à Chicoutimi et Jonquière, et la Tour à Bières à Chicoutimi. Avec l'ouverture de nouvelles brasseries dans la région, la route pourrait bien accueillir de nouveaux membres. Pour info: www.saguenaylacsaintjean.ca/fr/circuits/la-route-de-la-biere

➔ **Route des bières en Mauricie:** dernier-né des circuits, soit à l'été 2012, cette nouvelle route résulte d'une alliance entre À la Fût de Saint-Tite, le Broadway Pub et Le Trou du Diable à Shawinigan, Gambrinus à Trois-Rivières et la Microbrasserie Nouvelle-France à Saint-Alexis-des-Monts. Un dépliant est disponible dans les kiosques d'information touristique de la région ainsi que chez les détaillants spécialisés en bières artisanales.

SAINT-ARNOULD

C'est le saint patron des brasseurs. Plusieurs légendes circulent à son sujet, dont voici la plus courante: «*Arnould, bénédictin flamand du XIème siècle, fut évêque de Soissons, puis abbé à l'Abbatiale d'Oudenburg, où il repose aujourd'hui. Il encouragea ses fidèles à abandonner l'eau, souvent impropre à la consommation, et à la remplacer par la bière, encore assez méconnue de la population de l'époque. Arnould avait constaté que les buveurs de bières étaient en meilleure santé que les autres. Pour donner plus de consistance à ses paroles, il touilla le brassin à l'aide de sa croix, en lieu et place du traditionnel fourquet. En hommage à ce geste, les brasseurs lui élevèrent une chapelle aux armes de la corporation.*»

TÉGESTOPHILIE

Généralement attribuée aux bièrophiles, cette manie consiste à collectionner absolument tout ce qui se rapporte au fabuleux monde de la bière. De la bouteille au verre, de l'étiquette au sous-verre, sans oublier les affiches, miroirs et ouvre-bouteilles, on recherche avant tout la marque de commerce, les items éphémères ou non, l'inusité et le rarissime. Pour le bièrophile se contentant uniquement de collectionner les sous-verres, on lui diagnostiquera le syndrome de cervalobelophilie!

UNE BIÈRE AU PARADIS

Un fin connaisseur anglais du monde de la bière et du whisky s'est éteint le 30 août 2007 à la suite d'une crise cardiaque. Michael Jackson, mieux connu sous le nom de «Beer Hunter», du nom de son émission fort populaire dédiée à la bière, était auteur, journaliste et critique prolifique à la réputation plus que respectable dans le milieu.

Son premier ouvrage sur la bière, «The World Guide To Beer», publié en 1977, a été traduit dans de nombreuses langues et est encore de nos jours considéré comme un des ouvrages fondamentaux sur le sujet. On doit à M. Jackson la création d'un langage propre à la description de la bière, tout comme le font les œnologues pour le vin. Son talent et sa contribution au milieu de la bière ont été récompensés plus d'une fois. Il a entre autres été le premier non-brasseur nommé Chevalier d'honneur du *Ridderschap van de Roerstok* (Chevalerie du Fourquet des Brasseurs, en Belgique), titre remis pour sa contribution exceptionnelle au rayonnement du métier de brasseur en Belgique.

Selon lui, la bière est un élément de la culture et elle doit être décrite dans son contexte. Il a su piquer la curiosité, vulgariser un milieu parfois complexe, rendre accessible à autrui les plaisirs de la dégustation, rendant ainsi à la bière ses lettres de noblesse.

VERRE

On pourrait presque affirmer que chaque bière nécessite son type de verre, même si la plupart du temps, les verres ne sont que des adaptations des quatre formes les plus courantes: coupe, tulipe, flûte et verre droit. Le verre le mieux adapté à la plupart des bières est un verre fort, aux parois épaisses et translucides qui se terminent franchement. Vient ensuite le service de la bière qui prend des formes originales dans nombreux bars et pubs, notamment en Europe. Le «mètre», comme ceux que l'on retrouve chez Les 3 Brasseurs, est un présentoir, généralement en bois, percé de douze trous pour y placer les verres. La «girafe» ou «colonne» est un long cylindre transparent, d'une capacité variant entre 2,5 et 10 litres, monté sur présentoir avec un robinet pour le service. Leur avantage: le tube réfrigérant intégré permettant de garder notre boisson préférée au froid. Certains brasseurs offrent même à emporter des barils de fûts de 5 litres ou plus à usage unique!

WINSTON CHURCHILL

Bièrophile dans l'âme et amateur d'alcools forts, les répliques cinglantes de l'ancien premier ministre anglais Winston Churchill ont marqué l'histoire. En voici quelques unes : « *Souvenez-vous que j'ai profité beaucoup plus de la bière que la bière a profité de moi.* » ; « *Sire, si vous étiez mon mari, j'empoissonnerais votre boisson.* » ; « *Madame, si vous étiez ma femme, je la boirais.* » (Churchill, en réponse à Lady Astor).

« X » DE MILLE

Tout à commencé en 2000, lorsque la communauté de l'Ordre de Saint-Arnould, devenue Bièropholie en 2001, a décidé d'organiser, une fois par année pour toute la durée du troisième millénaire, une sorte de « pèlerinage » consacré à la bière. L'événement, qui s'étale sur quelques jours, à lieu durant l'été dans une région champêtre en périphérie de Montréal. Au menu : méchoui à la bière, dégustation de bières, concours de brassage de bière…

« Y PARAÎT QUE… »

Qu'elle soit véridique ou non, cette anecdote ne pouvait guère passer sous silence, question de rigoler un brin. Suite à l'édiction en 1516, par Guillaume IV de Bavière, du décret sur la pureté de la bière, le respect de ce dernier était contrôlé par les *PirBeschauer* (observateurs de bière). L'exercice consistait à verser la bière sur des bancs de bois afin de vérifier sa qualité. Les *PirBeschauer*, portant des culottes de cuir, s'asseyaient alors sur la flaque pour un temps prédéterminé. Si la culotte restait collée au banc, la bière était couronnée de succès. Le cas échéant, elle était soit jetée soit vendue à prix dérisoire. Dans le pire des cas, certains brasseurs se sont même vus contraints de boire eux-mêmes leur infâme breuvage.

ZYTHUM (VIENT DU GREC ZUTHOS SIGNIFIANT « BIÈRE »)

Les habitants de l'Égypte ancienne raffolaient d'une boisson préparée à partir d'orge germée et fermentée avec un goût se rapprochant étrangement de la bière. Spécialité de Péluse, ville égyptienne en bordure de la Palestine, on la surnomme également « vin d'orge » ou « boisson pélusienne ». Pour l'anecdote : zythum est le dernier mot du dictionnaire des noms communs. Comme quoi tout se termine toujours par une bonne bière !

Événements

Avec l'évolution et le développement constant de notre industrie brassicole, il n'est pas surprenant de voir de plus en plus d'événements et festivals dédiés à nos divins nectars. Voici notre liste d'incontournables où la bière est maîtresse des lieux mais ceci dit, les microbrasseries et brasseries artisanales québécoises participent également à de nombreux événements gourmands tels les Fêtes gourmandes de Lanaudière, les Délices d'automne ainsi que l'Île aux Saveurs en Mauricie, ou encore le Salon des vins, bières et spiritueux de l'Abitibi-Témiscamingue.

À noter également :

➔ L'événement **Bières & bouffe du terroir**, organisé depuis quelques années au Parc Marie-Victorin de Kingsey Falls, dans le Centre-du-Québec, ne reviendra pas en 2012. Un retour est possiblement prévu pour 2013. Pour toute info : www.bieres-et-bouffe.com. Il en va de même pour le **Festibière du Vieux Ste-Rose** à Laval ainsi que le **Festibière de Montpellier** en Outaouais qui ne reviendront pas en 2012, et possiblement même jamais…

➔ La région de Chaudières-Appalaches accueillera son premier petit festival dédié à la bière artisanale en 2012. Organisé par le Marché Coli-Bris, grand spécialiste en vente de bières québécoises, en collaboration avec Les Amis du Parc Saint-Nicolas, le **Festibière de Montmagny** se tiendra sur trois jours vers la mi-août. Pour info : www.ville.montmagny.qc.ca

➔ La belle municipalité de Sainte-Adèle, dans les Laurentides, accueillera encore cette année son **Oktobierfest** à la fin septembre au Parc Claude-Henri-Grignon. Pour l'année 2012, le thème sera dédié au « plat pays », grâce à une entente avec le Consulat de Belgique, et des brasseurs de ce pays devraient faire partie de la liste des exposants. Pour info : www.sainte-adele.net

➔ La Récréathèque de Laval a été l'hôte, en novembre 2011, du premier **Festibière de Laval**. Au programme des festivités : des microbrasseries d'ici et d'ailleurs, des kiosques gourmands, des démonstrations culinaires, des spectacles musicaux et DJ, etc. Aucune information n'est encore disponible pour l'édition 2012 mais pour vous tenir informé, consultez le site : www.festibierelaval.com

Bon festival !

CANTONS-DE-L'EST

FESTIBROUE DE SHERBROOKE

Parc Jacques-Cartier, Sherbrooke
www.festibrouedesherbrooke.com
En août.

Grande première pour la région des Cantons-de-l'Est, le Festibroue de Sherbrooke tiendra sa première édition en 2012 sur le site enchanteur du Lac des Nations, en plein cœur de la ville. Parmi les exposants, on retrouve, bien entendu, des microbrasseries québécoises mais aussi des cidreries, des vignobles et autres producteurs d'alcools du terroir ainsi que des kiosques de produits gastronomiques régionaux afin de régaler les festivaliers. Des conférences seront données par notre cher sommelier en bières Philippe Wouters et deux soirées « off festibroue » se tiendront respectivement au Lion d'Or et au Boquébière, tous deux à Sherbrooke.

LANAUDIÈRE

FESTIVAL OKTOBERFEST DES QUÉBÉCOIS

Parc de l'Île-Lebel
396, rue Notre-Dame, Repentigny
514-767-9339
www.oktoberfestdesquebecois.com
En septembre.

Festival éco-responsable des microbrasseries québécoises et des produits agroalimentaires du terroir lanaudois. L'ambiance festive digne de ce type de réjouissances en Bavière permet à cet événement bièrophile de se démarquer, avec au menu musique et danse bavaroises, différents spectacles musicaux et animations, un marché des artisans, des conférences et ateliers de dégustation. Question d'immortaliser l'événement, on a vu naître L'Oktoberfest, une rousse brassée par Les Trois Mousquetaires, qui fait figure de bière officielle du festival depuis ses débuts. Cette année, nous aurons droit à une 2e bière officielle, la Helles, brassée par Hopfenstark de l'Assomption. Autre nouveauté: Pierre-Luc Gagnon surnommé «Bière-Luc», grand amateur et conseiller en bières de microbrasseries québécoises, sera le blogueur officiel de l'événement. Pour suivre ses aventures et découvertes houblonnées: www.voir.ca/pierre-luc-gagnon/

LAVAL

LES FÊTES GOURMANDES INTERNATIONALES DE LAVAL

Place Claude-Léveillée
Angle du boulevard de l'Avenir et de la rue Jacques-Tétreault
450-668-9119
www.fgil.ca
En juillet.

Ce bel événement gourmand et festif a pour objectif «de faire découvrir les produits agricoles, avicoles, brassicoles et vinicoles des quatre coins du globe, de l'Australie au Brésil, de l'Europe à l'Afrique, du Mexique à l'Alaska, sans oublier les incontournables produits du terroir québécois». Des spectacles musicaux sont également au programme ainsi que des activités pour les petits et un championnat de cuisine pour les jeunes, ce qui en fait un beau rendez-vous familial. Avec plus de 50 000 visiteurs pour l'édition 2011, gageons qu'il n'y en aura pas moins cette année!

MONTÉRÉGIE

LA FÊTE BIÈRES ET SAVEURS

Lieu historique du Fort-Chambly, Chambly
450-447-2096
www.bieresetsaveurs.com
En septembre.

Cet événement, qui a célébré ses 10 ans en 2011, convie chaque année les bièrophiles, du simple amateur au plus aguerri, à une grande fête aux airs de marché du terroir à l'époque de la Nouvelle-France. Pendant quatre jours, les amateurs de saveurs sont invités à déguster des produits brassicoles québécois et importés, en plus de pouvoir découvrir de nouveaux menus associés à la bière. Une centaine de kiosques de produits de dégustation, de l'animation, des conférences, des spectacles, des grandes terrasses pour relaxer entre amis, tout y est pour une expérience mémorable dans le cadre enchanteur de la Vallée du Richelieu. Nouveauté : le concours La Grande Brasse, qui se déroule chaque an durant le festival, est parti en tournée à l'été 2012 dans le débits de boissons, pour le plaisir du grand public qui peut, l'instant d'une soirée, devenir juge en herbe. Pour toute information et inscription, consultez le site Internet du festival.

MONTRÉAL

LE MONDIAL DE LA BIÈRE

Place Bonaventure
800, rue de la Gauchetière Ouest
514-722-9640
www.festivalmondialbiere.qc.ca
En juin. Depuis 2009, le Mondial se tient également en France (à Mulhouse dès 2012).

Amateurs de bières, inscrivez ces dates dans votre agenda à l'aide d'un stylo indélébile, et rangez le tout précieusement sous clé. C'est l'événement bièrophile de l'année à ne pas manquer ! Comment résister à l'appel de plus de 600 bières différentes d'ici et d'ailleurs, de cidres, d'hydromels, le tout agrémenté de délices du terroir québécois. Novice en la matière ou bièrophile accompli, les kiosques et événements de dégustation, les ateliers, les conférences et les débats sauront satisfaire les plus exigeants. Nouveautés lors de l'édition 2012 : le développement d'une application mobile pour les téléphones intelligents, l'ajout d'un 3e Petit Pub, et des démonstrations de brassage en direct. Sachez que l'année 2013 marquera le 20e anniversaire de l'événement. Le tout sera souligné dignement !

LES HOUBLONNERIES

Cafétéria de l'École Polytechnique, Université de Montréal
2500, chemin de Polytechnique
www.houblonneries.aep.polymtl.ca
En mars. Possible déménagement pour l'édition 2013.

Organisé depuis maintenant près de 15 ans par les étudiants de la Polytechnique, les Houblonneries visent à faire découvrir la richesse du savoir-faire brassicole québécois. Des microbrasseries et brasseries artisanales des quatre coins de la province, ainsi que certaines universitaires comme MicroBroue (Université Laval), s'y donnent rendez-vous annuellement. Une journée remplie de découvertes houblonnées et une belle occasion pour rencontrer les maîtres d'œuvres de notre industrie québécoise.

WINTER WARMER

Théâtre Plaza

6505, rue Saint-Hubert

514-576-2903

www.winterwarmermontreal.com

En février.

Un événement tout à fait exceptionnel que cet Hivernale des brasseurs ! Dans un décor qui a en partie gardé son ornementation originale (ce qui n'est pas sans rappeler les années fastes du cinéma dans la métropole), sont conviés une vingtaine de brasseurs, tous triés sur le volet. Le menu des bières est développé spécifiquement pour l'événement et propose des produits exclusifs, des millésimes, des grands crus vieillis, des produits maturés en barriques, etc. Question de pousser l'expérience gustative un peu plus loin, l'équipe de choc en restauration concocte un menu haut voltige de bouchées gourmandes divines, le tout accompagné de spectacles musicaux sur scène. Pour la 2e édition, soit en 2011, l'organisation de l'événement revenait au Broue Pub Brouhaha, à Bières et Plaisirs ainsi qu'aux Coureurs des Boires. Chapeau à toute l'équipe pour ces soirées d'exception !

OUTAOUAIS

FESTIBIÈRE DE GATINEAU

Parc du Lac-Leamy, Gatineau

819-328-7139

www.festibieredegatineau.ca

*En mai. *Édition d'hiver : Les Hivern'Ales en janvier au Château Cartier (secteur Aylmer).*

Fort de ses premières éditions couronnées de succès, le Festibière de Gatineau peut compter sur une clientèle fidèle, des deux côtés de la « frontière », venus découvrir et savourer les produits de nos microbrasseries québécoises. Agissant comme agent de développement stratégique dans la région de la Capitale-Nationale, il promeut non seulement la bière artisanale mais aussi les produits du terroir et les accords mets et bières. Partant le bal de la saison estivale des festivals de bières, cet événement comprend également une programmation musicale d'artistes de la relève ainsi que des conférences (épousailles bières et fromages, le service de la bière, initiation à la dégustation…), dont une spécialement conçue pour les enfants. Dans les années à venir, les organisateurs souhaitent pouvoir offrir une sélection de bières de partout dans le monde.

QUÉBEC

FESTIBIÈRE DE QUÉBEC

Espace 400e, Vieux-Port de Québec
418-948-1166
www.festibieredequebec.com
En août.

Depuis maintenant trois ans, la capitale québécoise est l'hôte d'un Festibière sur le charmant site du Vieux-Port, en plein cœur de la ville. Pendant quatre jours, les bièrophiles sont conviés à venir déguster les excellentes bières de nos microbrasseries québécoises. Des kiosques de restauration et de produits du terroir sont également sur place, question de combler les petits creux avec des mets se mariant parfaitement à la bière. Animations et spectacles musicaux en plein air sont aussi au programme. En 2011, le festival a accueilli 70 exposants, toutes catégories confondues, avec un choix s'étalant à 500 bières, ce que le positionne parmi les plus grands événements du genre dans la province. Un incontournable pour les amateurs !

SAGUENAY-LAC-SAINT-JEAN

FESTIVAL DES BIÈRES DU MONDE

Zone portuaire, Saguenay (arrondissement Chicoutimi)
www.bieresdumonde.ca
En juillet.

Près d'une soixantaine de kiosques vous feront découvrir nos petits bijoux québécois mais également des bières des quatre coins du monde et de savoureux produits régionaux. Comme valeur ajoutée à l'événement, des ateliers de cuisine, animés par de grands chefs de la région, mettent en vedette les produits du terroir du Saguenay-Lac-Saint-Jean. La programmation culturelle comprend des spectacles musicaux ainsi que des animations et ateliers sur la bière présentés par des sommités dans le domaine, notamment Philippe Wouter de Bières et Plaisirs.

PROVINCIAL

JOURNÉE QUÉBÉCOISE DE LA BIÈRE

Partout au Québec
www.bieresetplaisirs.com
En août.

Première initiative du genre au Québec, et forte d'une grande participation de la part de notre industrie brassicole et du soutien bénévole de Bières et Plaisirs, cette journée se veut celle de toutes les bières. Un événement gourmand soulignant le travail des artisans brasseurs d'ici et définissant la bière comme un produit artisanal, culturel et de dégustation. Brassins publics, ateliers, conférences, visites d'installations et dégustations sont entre autres au programme et visent à faire rayonner le Québec comme une des régions les plus effervescentes au monde dans le domaine brassicole. Pour connaître les activités organisées dans votre région, consultez le site Internet de Bières et Plaisirs.

VERMONT (ÉTATS-UNIS)

VERMONT BREWERS FESTIVAL

Waterfront Park, Burlington
1 877-725-8849
www.vtbrewfest.com
En juillet.

La tradition brassicole est bien vivante chez nos voisins du Sud, notamment dans l'État du Vermont, en Nouvelle-Angleterre. La réputation de cet événement, qui célèbre ses 20 ans en 2012, n'est plus à faire et que dire de son site enchanteur: en plein air (beau temps, mauvais temps!) avec comme toile de fond, le Lac Champlain surplombé des monts Adirondacks. Pendant deux jours de festivités, près d'une quarantaine de microbrasseries et brasseries artisanales américaines (et mêmes québécoises!) font découvrir aux visiteurs leurs recettes brassées avec amour et patience. La région de la Nouvelle-Angleterre est d'ailleurs fort réputée pour la qualité et la diversité de ses bières de spécialité. Marché du terroir, ateliers et conférences, séances de dégustation, animation musicale, tout y est pour une expérience tout à fait champêtre.

Montréal

BENELUX

245, rue Sherbrooke Ouest
514-543-9750
www.brasseriebenelux.com
Samedi-mercredi, 14 h-3 h ; jeudi-vendredi, 11 h-3 h. Grande terrasse avant de plus de 100 places assises.

Située dans une ancienne banque, cette brasserie artisanale a ouvert ses portes en avril 2006. Le menu est axé autour de bières d'inspiration américaine, dominées par le houblon et bien sûr, de quelques spécialités belges. Près d'une trentaine de recettes sont brassées de façon cyclique et quotidiennement, douze bières maison figurent au tableau, avec une rotation selon les saisons et l'humeur des brasseurs. Parmi les coups de cœur des amoureux de la bière : l'Anniversaire (Imperial IPA), la Cuda (IPA américaine) et la Grisette (Saison). Avis aux habitants de la Vieille Capitale : les bières Benelux se retrouvent aux pompes du bar Cactus à Sainte-Foy.

Avec une adresse aussi stratégique, entre le campus de l'UQÀM et celui de l'Université McGill, à deux pas du Quartier des Spectacles, le Benelux est vite devenu le port d'attache des étudiants et professionnels du secteur. Ses atouts : design et décoration innovateurs, Internet sans fil gratuit, repas de style bistro (ses hot dogs européens sont classés parmi les meilleurs en ville selon le site UrbanSpoon) et bien sûr, de la bière de première qualité brassée sur place. Benelux offre aussi un salon privé situé dans le coffre-fort. De nombreux événements ponctuent l'année dont les jeudis 5 à 7 « cask » (dont la refermentation et le service sont faits à même le cask, sorte de petit baril de bière), ou encore l'incontournable soirée Off Mondial lors du Mondial de la Bière se tenant en juin, etc.

Les amateurs des bières Benelux peuvent se réjouir car une deuxième adresse ouvrira dans l'ancienne Banque de Montréal sur la rue Wellington à Verdun, avec en prime, un superbe « biergarten ». Le tout devait voir le jour avant le début de l'hiver 2013. Une histoire à suivre sur leur page Facebook « Amis du Benelux ».

Notre sélection à découvrir :

- **Cuda**, *India Pale Ale américaine, 6.5 %*
- **Éponyme**, *Saison, 6.2 %*
- **Ergot**, *Triple saison au seigle, 8.8 %*
- **Flimzie**, *Blonde d'Abbaye, 6.2 %*
- **Sabotage**, *India Pale Ale, 7 %*
- **Strato**, *West Coast Stout, 6.7 %*

BISTRO-BRASSERIE LES SŒURS GRISES

32, rue McGill
514-788-7635
www.bblsg.com

Lundi-mercredi, 11 h-minuit ; jeudi-vendredi, 11 h-fermeture ; samedi, 15 h-fermeture ; dimanche, 15 h-minuit. Horaire sujet à changements. La cuisine ferme à 22 h ou 23 h selon le jour (peut fermer plus tard en fonction de l'achalandage). Items à l'effigie de la brasserie en vente sur place. Visite des installations brassicoles avec dégustation sur réservation. Terrasse.

Ce nouveau quartier général houblonné a officiellement ouvert ses portes le 1er janvier 2012, en plein cœur du Vieux-Montréal, à l'endroit même où se trouvait, à l'époque, Les Sœurs Grises, congrégation religieuse créée par Marguerite d'Youville. Alain Brousseau, un des heureux propriétaires, a d'ailleurs tout un bagage dans le domaine. Il a œuvré pendant 7 ans chez Les 3 Brasseurs, 1 an au HELM ainsi que 3 ans au Broue-pub Brouhaha. De plus, il tient une superbe cave à bières depuis de nombreuses années, cave qui renferme plus de 3 000 bouteilles dont certaines en vieillissement depuis 15 ans. Rien de moins. Lorsqu'Alain rencontra ses deux futurs associés, les forces et compétences de chacun ont fait germer l'idée d'ouvrir leur propre brasserie artisanale. Benoît Charbonneau, propriétaires de deux restaurants Steak Frites, assure le côté administratif, alors que Martin Poirier, fort de ses expériences gourmandes, s'occupe de la cuisine et du brassage. Ce dernier mise d'ailleurs sur une approche où il incorpore différents ingrédients dans ses brassins, en accord avec ses façons de faire en cuisine. Côté houblon, la brasserie était toujours en attente de son permis de brasseur artisan au moment de la rédaction de cet article. Toutefois, grâce à un partenariat avec les Brasseurs du Monde de Saint-Hyacinthe, une première bière à vu le jour, soit La Marguerite, une blonde faite à base de houblons allemands, de malts belges et de levures américaines.

Le bistro-brasserie a su donner un cachet historique grâce à la récupération de nombreux éléments ayant appartenu à la congrégation et qui décorent les lieux. Une excellente idée quand on pense que nos brasseries tentent de plus en plus de s'implanter dans leur milieu et son passé. En attendant les bières artisanales des Sœurs Grises, les lignes de fût accueillent des bières bien de chez nous, concept qui restera en place même après l'obtention du permis : Microbrasserie Charlevoix, Hopfenstark, Boquébière, Brasseurs du Monde, Microbrasserie du Lièvre, À la Fût, Brasserie Dunham... Avis aux amateurs : une sélection de bières d'importation privée longuement mûries en cellier est offerte sur place ainsi qu'occasionnellement le service de bières en cask. À ne pas manquer : les soirées spéciales (bières fortes, IPA, etc.) et les dégustations thématiques (histoire des bières monastiques, etc.). L'information sur ces soirées est disponible sur leur page Facebook. Et question d'accompagner votre pinte, un menu savoureux est offert, avec une spécialité de gibiers. Sachez aussi que les lieux possèdent deux fumoirs où les artisans de la cuisine concoctent d'excellents produits maison, tous faits avec différents types de bois afin d'aller chercher des saveurs bien distinctes. Bref, un seul coup d'œil au menu fera gronder votre estomac ! Une nouvelle adresse à découvrir, si ce n'est pas déjà fait !

Notre sélection à découvrir :

→ ***La Marguerite***, *Ale blonde, 5 %*

*D'autres recettes sont prévues telles une IPA, une Brown Ale, une Blanche (possiblement au thé) et un Imperial Stout. À suivre !

BRASSERIE BIERBRIER

1250, boulevard René-Levesque Ouest, Suite 2200
514-933-7576
www.bierbrier.com

S'il est vrai que certaines personnes ont une vocation et un destin tracés à l'avance, Charles Bierbrier fait décidément partie de ces gens. En allemand, Bierbrier signifie « brasseur de bière ». Voulant perpétuer le rite ancestral, Charles Bierbrier a commencé à fabriquer de la bière à l'âge de 18 ans et, depuis octobre 2005, il possède sa propre brasserie au centre-ville de Montréal. Cette dernière produisait à ses débuts une seule bière, la Bierbrier Premium Ale. Après quelques années, la Brasserie Bierbrier a rapidement évolué et c'est à l'été 2009 que Charles a introduit une deuxième bière à son portefeuille, la Bierbrier Pilsner Lager. Bierbrier s'est forgé une réputation de qualité et d'excellence au sein de l'industrie, en s'engageant dans la communauté à titre de commanditaire de nombreux événements, en soutenant les arts et la musique, la gastronomie et plusieurs causes. Comme Charles l'a si bien déclaré : « Si je mets mon nom sur la bouteille, vous pouvez être certain que c'est une excellente bière ». Ses bières se retrouvent sur le menu de nombreux bars et restaurants, mais également en épiceries et dépanneurs. Pour vos soirées ou événements, vous pouvez commander des fûts de 50 litres. Notez que les bières Bierbrier sont distribuées sous licence par la Compagnie de Bière Brisset. La Brasserie Bierbrier, dont le siège est toujours à Montréal mais à une nouvelle adresse, continue donc de croître grâce à des alliances stratégiques au sein de l'industrie brassicole.

Notre sélection à découvrir :

→ ***Bierbrier Pilsner Lager****, Pilsener, 5 %*

→ ***Bierbrier Premium Ale****, Ale blonde, 5 %*

BRASSERIE MCAUSLAN

5080, rue Saint-Ambroise
514-939-3060
www.mcauslan.com

Visite des installations brassicoles et dégustation le mercredi soir sur réservation. Ventes de produits dérivés à la bière (moutardes, savons, etc.). Programmation culturelle au Centre Saint-Ambroise situé à même la brasserie. Terrasse St-Ambroise en saison estivale.

La brasserie McAuslan est le bébé de son fondateur Peter McAuslan, président et directeur général, et d'Ellen Bounsall, maître brasseure. Fondée en 1988, la première bière est lancée sur le marché dès l'hiver suivant. La St-Ambroise Pale Ale est depuis une référence en matière de style. Elle sera aussi la première bière de microbrasserie québécoise à être vendue en bouteille.

En 1991, c'est avec joie que l'on déguste la première St-Ambroise noire à l'avoine. L'année suivante, on découvre la famille Griffon : l'extra-blonde et la rousse. En 1996, grâce à la brasserie McAuslan, la Frontenac revient sur les tablettes après presqu'un siècle de disparition. Par la suite, pour le plus grand plaisir des amateurs de bonnes bières, 1997 marque l'arrivée sur le marché de ses quatre bières saisonnières. Plusieurs autres délices sont apparus depuis et en 2006, afin de célébrer les 60 ans de Peter McAuslan, l'Ale Millésimée fut brassée dans la plus pure tradition des bières fortes, une bière de couleur orangée à saveur de fruits caramélisés. Forte des talents et des connaissances d'Ellen Bounsall, biologiste de formation et maître brasseure, la brasserie a rapidement gagné le respect des bièrophiles du monde entier. Les plus grands critiques considèrent les bières McAuslan parmi les meilleures du genre. D'ailleurs, McAuslan a remporté de nombreux prix en 2012 avec, notamment, deux médailles d'or au concours MBière du Mondial de la Bière ainsi que quatre médailles au Canadian Brewing Awards.

De mai à septembre, la terrasse St-Ambroise, qui donne sur les rives du canal de Lachine, est l'endroit tout désigné pour déguster les produits de la brasserie (ouvert tous les jours dès midi).

Notre sélection à découvrir :

→ **Griffon Extra Blonde,** *Ale Extra Blonde, 5 % (votée « Meilleure blonde » dans le magazine Protégez-vous 2011)*

→ **St-Ambroise à la Citrouille,** *Ale à la citrouille, 5 % (médaille d'or au Canadian Brewing Awards 2012)*

→ **St-Ambroise Blonde,** *British style Pale Ale, 5 % (médaille d'argent au Canadian Brewing Awards 2012 et votée « Meilleure Pale Ale » dans le magazine Protégez-vous 2011)*

→ **St-Ambroise Noire à l'Avoine,** *Stout à l'avoine, 5 % (médaille d'or au Canadian Brewing Awards 2012)*

→ **St-Ambroise Scotch Ale,** *Scotch Ale, 7.2 % (médaille de bronze au Canadian Brewing Awards 2012)*

→ **St-Ambroise Stout Impériale Russe**, *Stout impérial russe brassé avec du bois vieilli dans le bourbon, 9.2 % (récipiendaire Or au MBière 2012)*

BRASSEUR DE MONTRÉAL

1483, rue Ottawa (brasserie), 514-788-4500
1485, rue Ottawa (resto-bar), 514-788-4505
www.brasseurdemontreal.ca
Lundi-vendredi, dès 11 h 30 ; samedi-dimanche, dès 15 h (fermé le dimanche hors saison). Terrasse. Visite des installations brassicoles et dégustation sur réservation. Informez-vous sur les cours de brassage offerts sur place.

Ce brasseur de bières artisanales a fait son apparition en mars 2008 dans le quartier historique de Griffintown, dans le sud-ouest de la métropole. Fruit d'un travail acharné, cette microbrasserie est issue de la collaboration entre Marc-André Gauvreau et Denise Mérineau qui ont uni leur expertise respective afin de créer Brasseur de Montréal (BdM), une des rares microbrasseries qui offre en plus de ses excellentes bières, un menu de haute qualité aux plats réconfortants. BdM mise sur des produits populaires qui plairont tant aux amateurs des grandes marques commerciales qu'aux inconditionnels des bières de spécialité. L'exportation des bières BdM a d'ailleurs débuté en Europe, au Mexique ainsi que dans le reste du Canada.

Huit bières de base y sont brassées avec amour, allant de la blonde Griffintown à la brune pur malt de style Scottish Ale. Des saisonnières font également leur apparition selon les saisons et les humeurs, dont la gamme Ô Fruit aux saveurs variant d'une année à l'autre. BdM fait maintenant des bières vieillies en fût de chêne, dont la Zwalm et la Millésime qui ont beaucoup fait parler d'elles lors des festivals de bières. Leurs produits sont disponibles à travers la province chez les détaillants spécialisés ainsi que dans de nombreux bars et restaurants.

Un resto-bar annexé au lieu de brassage permet de découvrir sur place leurs délicieuses bières. C'est en effet un endroit très prisé par une clientèle venue s'abreuver des délices houblonnés brassés sur place. Il n'y a pas que la bière qui est faite maison mais également tous les délicieux petits plats comme la bavette à l'échalote, la cuisse de canard grillée, la choucroute royale ou le fameux smoked meat de Montréal. Et que dire des frites maison qui valent à elles seules le déplacement ! Bref, un menu varié et complet qui comprend aussi une sélection de salades repas, de poutines maison et de plats végétariens. Dans le convivial resto ou sur l'immense terrasse, BdM deviendra vite votre lieu de rencontre entre amis préféré. Une adresse qui rime à merveille avec plaisirs gourmands !

Notre sélection à découvrir :

→ ***Black Watch****, Ale brune de type Scottish Ale, 4.7 %*

→ ***Chi****, Blanche non filtrée, brassée de malt d'orge, de blé et de riz et aromatisée au gingembre, à la citronnelle et aux agrumes, 4.5 %*

→ ***Griffintown****, Ale blonde brassée avec des houblons nobles bohémiens, 5 %*

→ ***London Ruby****, Mild anglaise rousse (son eau est ajustée aux paramètres de la fameuse rivière Trent en Angleterre), 3.8 %*

→ ***Rebelle****, Ale ambrée forte inspirée de la tradition européenne, 6.5 %*

→ ***Van Derbull****, Blanche non filtrée, brassée de malt d'orge et de blé aux arômes de coriandre et de curaçao, 5 %*

BRASSEURS SANS GLUTEN

3810, rue Saint-Patrick, local 1-A
514-933-2333
www.brasseurssansgluten.com

Les intolérants au gluten ont ici de quoi se réjouir ! Seule microbrasserie au pays à brasser et embouteiller des bières dans un environnement exempt à 100 % de gluten, BSG est le fruit des efforts et de la passion de Julien Niquet et David Cayer. Ces deux bièrophiles dans l'âme et amis de longue date vouent une véritable passion au monde de la bière de microbrasserie mais également à l'entrepreneuriat, deux éléments plus qu'indispensables pour le démarrage et la gestion d'une telle entreprise.

Pourquoi des bières sans gluten ? L'idée cheminait depuis un bon moment dans la tête de Julien Niquet, lui-même intolérant au gluten. Après des mois de recherche, c'est en janvier 2010 que l'idée pris forme pour devenir la microbrasserie que l'on connaît aujourd'hui. Les bières Glutenberg, brassées avec amour par Gabriel Charbonneau, sont d'une qualité irréprochable et n'ont rien à envier aux bières faites à base d'orge. De plus, chaque brassin subit le test Elisa afin de dépister la présence de gluten. Leurs bières sont disponibles dans de très nombreux points de vente à travers la province ainsi qu'aux pompes de certains établissements spécialisés.

Depuis ses débuts, la microbrasserie s'est vue récompensée à plusieurs reprises dont tout récemment, soit en 2012, au World Beer Cup à San Diego où BSG a raflé toutes les médailles dans la catégorie « Bière sans gluten » (quinze produits étaient en compétition). BSG a également remporté le 1er prix dans la catégorie « Bioalimentaire » au Concours québécois en entrepreneuriat, division Sud-Ouest de Montréal, sans oublier la bourse de la Fondation du maire de Montréal pour la jeunesse. On ne peut que leur souhaiter encore de longues années de succès !

Notre sélection à découvrir :

- ➔ ***Belge de Saison***, *Bière belge non filtrée à base de millet, de miel de sarrasin, de sarrasin grillé, de citrons Meyer et d'oranges sanguines, 6,5 %*
- ➔ ***BSG 1er anniversaire***, *Bière brune fortement houblonnée à base de millet, de riz noir, de sarrasin grillé et de sarrasin rôti, 6,5 %.*
- ➔ ***Glutenberg 8***, *Ale atypique brassée avec du millet, du sarrasin grillé, du riz brun, du sirop candi, du quinoa, des dattes, du riz sauvage et du tapioca, 5 %*
- ➔ ***Glutenberg Blonde***, *Ale blonde à base de millet et de maïs, 4.5 % (médaille de bronze au World Beer Cup 2012)*
- ➔ ***Glutenberg Pale Ale***, *Pale Ale américaine à base de millet, de sarrasin, de maïs et de quinoa, 5.5 % (médaille d'argent au World Beer Cup 2012)*
- ➔ ***Glutenberg Rousse***, *Ale rousse à base de sarrasin, de millet, de quinoa et de marron, 5 % (médaille d'or au World Beer Cup 2012)*

BROUE-PUB BROUHAHA

5860, avenue de Lorimier
514-271-7571
www.brouepubbrouhaha.com
Lundi-dimanche, 15 h-3 h. Salle de réception avec fumoir à viande, scène, projecteur, éclairage et système de son disponible pour location. Programmation culturelle et musicale à l'année. Terrasse.

Marc Bélanger brasse de la bière depuis plus de 20 ans. Bièrophile jusqu'au bout des ongles, sa «soif» de la découverte l'amène à visiter une quarantaine de brasseries en Europe, aux États-Unis et au Canada. Il perfectionne ensuite ses techniques aux Laboratoires Maska et ouvre en 2004 MaBrasserie.com, étiquette sous laquelle il développera quelques bières dont la Blanche de Soleil, la Saison de Blé, et la Fleur du Diable, une bière forte sur lie à 6 %, grande primeur à la Fête Bières et Saveurs de Chambly en 2005. Il installa ensuite ses «quartiers généraux» pendant six mois à l'ancienne microbrasserie montréalaise Le Chaudron où il effectua une dizaine de brassins.

En 2007, c'est son rêve qu'il réalise: celui d'avoir sa propre brasserie artisanale, le Broue Pub Brouhaha, situé dans le quartier Rosemont, dont il partage dorénavant la gestion avec Annie Auger et Sylfanc Côté de la boutique Les Délires du Terroir. Ouvert «officiellement» depuis juin 2008, et devenu rapidement le point de rendez-vous des bièrophiles du quartier, l'endroit ne désemplit pas et pour cause. Le menu propose d'excellentes bières maison d'inspiration belge, dont la Choco Framboise qui a remporté le prix du public à la Fête Bières et Saveurs de Chambly en 2009, ainsi qu'une sélection des meilleures bières artisanales de la province et d'importation privée. À essayer pour papilles gourmandes: les bières servies au Randall chaque mardi (chambre à houblon qui se place entre le fût et le robinet de tirage pour un houblonnage à cru). Pour l'instant, les bières sont brassées chez Brasseurs du Monde à Saint-Hyacinthe mais le Brouhaha sera bientôt autonome grâce à la construction d'une salle de brassage sur place et de l'obtention du permis de brasseur artisan. En ce qui concerne l'embouteillage, le tout se fait également chez Brasseurs du Monde avec près d'une dizaine de brassins par an (bières disponibles chez les détaillants spécialisés).

En plus du houblon, le calendrier des événements est fort chargé: matchs sportifs sur écran géant, ateliers et conférences sur la bière, vernissages, spectacles musicaux, d'humour, impro, etc. À ne pas manquer: l'événement «Lundi Douteux» (www.douteux.org) où est présenté chaque semaine un film curieux et questionnable. En guise d'appréciation, vous êtes alors conviés à lancer ce que vous voulez (ou presque) sur l'écran. Tout simplement unique!

Notre sélection à découvrir:

→ ***Blanche Soleil,*** *Blanche belge épicée, 5.5 %*

→ ***Fleur du Diable «Luxura»,*** *Double Pale Ale belge, 9 %*

→ ***Gaz de Course,*** *Vin d'orge, 12 % (médaille de bronze au Canadian Brewing Awards 2012)*

→ ***Saison Voatsiperifery,*** *Saison au poivre sauvage, 6 %*

→ ***Special B,*** *ABT, 10 %*

→ ***Wakatu,*** *Bitter, 4 %*

BRUTOPIA

1219, rue Crescent
514-393-9277
www.brutopia.net
Samedi-jeudi, 15 h-3 h ; vendredi, 12 h-3 h.
Items à l'effigie de la brasserie en vente sur place. Programmation culturelle et musicale à l'année. Trois terrasses.

Brutopia a ouvert ses portes en 1997 grâce aux efforts de Jeffrey Picard, un bièrophile passionné qui a réussi à créer une petite institution sur la populaire rue Crescent. Brutopia mise depuis ses débuts sur l'implication locale, notamment en présentant gratuitement des spectacles d'artistes indépendants montréalais, en organisant des événements de levée de fonds pour des organismes communautaires, et en brassant des bières à même le pub dont plusieurs renferment une bonne portion de malt québécois. La petite entreprise encourage donc l'économie locale tout en valorisant le respect de l'environnement dans chacune de ses opérations.

On y vient pour sa IPA, sa blonde au framboise, son Chocolate Stout (médaille d'Or du prix grand public au Mondial de la Bière 2006), mais surtout pour cette si agréable atmosphère, un endroit où il fait tout simplement bon de déguster une bière maison entre amis. En plus des cinq bières régulières, chaque saison apporte son lot de découvertes selon les humeurs des brasseurs, Chris Downey et John Fairbrother. Pour les petits creux, jetez un coup d'œil au menu de Brutapas, de quoi faire gronder votre estomac ! Avons-nous besoin de mentionner les nombreux spectacles gratuits, les dimanches « open mic », les lundis « trivia night » (en anglais seulement), les fêtes et soirées bénéfices, et la terrasse chauffée à l'arrière !

Notre sélection à découvrir :

→ ***Honey Beer,*** *Ale blonde au goût de miel et de fleurs sauvages du Québec, 5 %*
→ ***IPA,*** *India Pale Ale, 5 %*
→ ***Raspberry Blonde,*** *Ale blonde aux framboises, 5 %*
→ ***Scotch Ale****, Scotch Ale, 5 %*
→ ***Stout****, Stout, 6 % (variation Chocolate, Imperial, Black Out)*
→ ***XB****, Ale Extra blonde, 5 %*

COMPAGNIE DE BIÈRE BRISSET

370, rue Guy
514-906-6851
www.bierebrisset.com
Visite des installations brassicoles et dégustation sur réservation.

La Compagnie de Bière Brisset est une micro-brasserie établie à Montréal depuis 2011. Elle produit, vend et distribue des marques de bière de qualité au Québec, en Alberta et en Colombie-Britannique. La marque la plus connue du groupe est la MTL Premium Lager.

La compagnie a été créée à la suite du succès de la MTL Premium Lager au cours des dernières années. Pour continuer sur cette lancée, Pol Brisset et Stéphane Pilon ont décidé de mettre sur pied une compagnie de bière qui est notamment responsable du brassage de la MTL Premium Lager, mais qui aussi fabrique et met en marché d'autres marques de bière pour créer une gamme de produits à saveur montréalaise. La Compagnie de Bière Brisset a donc fait l'acquisition d'une brasserie dans le quartier Griffintown, à Montréal.

Ayant le même désir de mettre en valeur la ville de Montréal avec des produits de qualité, la micro-brasserie produit et vend les marques Bierbrier, en partenariat avec Charles Bierbrier qui continue à assurer la qualité et la renommée de ses produits.

Notre sélection à découvrir :

→ ***Bierbrier Pilsner Lager***, *Pilsener, 5 %*

→ ***Bierbrier Premium Ale***, *Ale blonde, 5 %*

→ ***Broken7***, *Ale blonde, 5 %*

→ ***MTL Premium Lager***, *Premium Lager, 4.5 %*

DIEU DU CIEL ! – LA BRASSERIE ARTISANALE

29, avenue Laurier Ouest
514-490-9555
www.dieuduciel.com
Lundi-vendredi, 15 h-3 h ; samedi-dimanche, 13 h-3 h. Terrasse.

En mars 1993 naissait la bière Dieu du Ciel, produit mûri et brassé à la maison par Jean-François Gravel. Puis en septembre 1998, c'est l'ouverture de la brasserie artisanale portant le même nom et plus de 300 personnes sont présentes sans qu'aucune publicité n'ai été faite. Faute de place à l'intérieur, la police doit même tolérer les gens qui boivent sur le trottoir ! La clientèle s'établit rapidement, appréciant la grande variété de bières qui y est produite. Sur les 70 recettes différentes élaborées depuis les débuts de la brasserie, une quinzaine de bières sont au menu dont une en cask. Notre recommandation : l'assiette de fromages québécois accompagnée d'une de leurs excellentes bières blanches. Un pur délice !

La réputation de Dieu du Ciel ! n'est plus à faire ! C'est ce gage de qualité et de diversité qui attire les amateurs de bières, venant parfois même de très loin, et en réponse à cette demande croissante, Dieu du Ciel ! a maintenant sa propre microbrasserie à Saint-Jérôme. Une vingtaine de leurs bières sont embouteillées, certaines qu'une seule fois par année, et sont disponibles chez les détaillants spécialisés de la province ainsi qu'aux pompes de certains établissements licenciés. Dieu merci !

Notre sélection à découvrir :

- → ***Corpus Christi***, *Pale Ale au seigle, 5 %*
- → ***Déesse Nocturne,*** *Stout, 5 %*
- → ***Isseki Nicho***, *Saison Impériale noire, 9 %*
- → ***Mea Culpa***, *India Cream Ale, 6 %*
- → ***Nativité Rousse,*** *Dunkel Weizen (bière de blé rousse allemande), 5 %*
- → ***Pénombre***, *Black IPA, 6 %*

HELM BRASSEUR GOURMAND

273, rue Bernard Ouest
514-276-0473
www.helm-mtl.ca

Dimanche-mardi, 16 h-1 h ; mercredi-samedi, 15 h-3 h (horaire sujet à changements sans préavis ; la cuisine ferme à 22 h du dimanche au mardi et à 23 h du mercredi au samedi).

Voici une brasserie artisanale sans prétention qui reflète bien l'essor du quartier Mile-End, attirant de plus en plus d'étudiants et de jeunes professionnels. HELM, pour Houblon-Eau-Levure-Malt, occupe les locaux de l'ancien Fûtenbulle, une adresse fort bien connue, voire même mythique, des nombreux bièrophiles de la métropole. Le HELM encourage l'économie locale en misant sur les produits du terroir québécois : des bières artisanales brassées presque exclusivement avec des céréales d'ici ; de bons petits plats comme le gravlax de saumon maison à l'aneth et betteraves ou le grilled cheese de porc braisé avec cheddar Perron et oignons caramélisés à la bière. Son décor à la fois brut et recherché, son grand bar central, sa lumière, et ses DJs curieux et discrets font du HELM un endroit convivial, propice à la discussion et aux rencontres.

Notre sélection à découvrir :

- → ***Blanche***, *Ale blanche, 4.6* **%**
- → ***Blonde***, *Ale américaine, 5 %*
- → ***Cream Ale***, *Ale dorée au miel, 5.5 %*
- → ***IPA***, *India Pale Ale, 5 %*
- → ***Noire***, *Stout à l'avoine, 5.1 %*
- → ***Rousse***, *Ale rousse de type Irlandaise, 4.6 %*

L'AMÈRE À BOIRE

2049, rue Saint-Denis
514-282-7448
www.amereaboire.com

Pub : dimanche-mercredi, 14 h-fermeture (selon l'affluence) ; jeudi-vendredi, 12 h-3 h ; samedi, 14 h-3 h. Cuisine : dimanche-lundi, 16 h-21 h ; mardi-mercredi, 16 h-22 h ; jeudi-vendredi, 12 h-23 h ; samedi, 16 h-23 h. Salle disponible pour les réservations de groupe. Terrasses nouvellement revampées.

Ouverte depuis 1996, l'illustre brasserie artisanale de la rue Saint-Denis est une sorte de lieu culte pour les bièrophiles de passage dans le Quartier latin. Toujours en quête d'excellence, les propriétaires se sont inspirés des styles allemands et tchèques pour développer leur menu de bières. L'amère à boire se spécialise dans le brassage de bières à fermentation basse (Lagers), avec plusieurs Ales également à l'ardoise. La réputation des lieux dépassent largement les frontières de la métropole et même de la province. Il faut dire que la grande stabilité et qualité de leurs bières attirent les fins connaisseurs de ce monde et les curieux friands de découvrir ces styles.

La brasserie a su bâtir un menu de repas de style bistro, adapté aux bières offertes : tapas (coups de cœur : accras de morue avec mayonnaise à la lime, ailes de canard laquées, marinées et braisées à la bière Cernà), burgers gourmands ainsi que quelques plats tel l'assiette de saucisses de cerf rouge de Boileau. Bref, un incontournable pour les amateurs de passage et les bièrophiles de la métropole !

Notre sélection à découvrir :

- → ***Amère à Boire,*** *Ale d'inspiration britannique de type Pale Ale, 5 %*
- → ***Cernà,*** *Lager d'inspiration tchèque de type Pilsener, 5 %*
- → ***Drak****, Lager rousse d'inspiration tchèque de type Cerveny Drak, 5.8 %*
- → ***Dunkel Weizen****, Ale de blé d'inspiration allemande de type Dunkel Weizen, 5 %*
- → ***Odense Porter****, Lager d'inspiration danoise de type Porter, 5 %*
- → ***Stout Impérial****, Ale d'inspiration anglaise de type Imperial Stout, 7.5 %*

L'ESPACE PUBLIC, BRASSEURS DE QUARTIER

3632, rue Ontario Est
514-419-9979
www.lespacepublic.ca
Lundi-dimanche, 15 h-3 h. Programmation culturelle et musicale à l'année.

Que de nouveautés rafraîchissantes dans Hochelaga-Maisonneuve, un quartier en pleine effervescence qui peut dorénavant compter dans ses rangs la toute première brasserie artisanale du sud-est de la métropole. À l'origine de cet espace houblonné et culturel, quatre comparses issus de milieux professionnels bien différents mais avec une passion bien ancrée pour la bière de microbrasserie: Rémi Bonneau, Dominique Gingras, Pierre Lessard-Blais et Frank Privé. Certains habitant le quartier depuis quelques années, force était de constater qu'il manquait ce genre d'établissement dans Hochelaga. Ajoutons à cela que Frank et Dominique développaient de belles recettes en brassage maison depuis un petit moment. Ainsi germa l'idée à l'été 2010 d'ouvrir un espace dédié à la bière artisanale et à la culture.

Le 3 janvier 2012, c'est l'ouverture officielle et tant attendue de ce nouveau «quartier général», tant pour les habitants du quartier que les bièrophiles assoiffés de nouveau produits houblonnés. Un des brasseurs de l'Espace Public, Frank Privé (l'autre étant Dominique), s'est d'ailleurs fait la main chez Propeller Brewing Company à Halifax en Nouvelle-Écosse. En plus des bières maison (en attente du permis de brassage, les bières sont brassées chez un partenaire), les lieux proposent une belle sélection de bières québécoises, en rotation selon les saisons et la disponibilité, dont celles du Bilboquet, de Pit Caribou, de la Microbrasserie Charlevoix, de la Micro du Lac, du Trou du Diable, de Frampton Brasse et de Brasseurs Illimités, pour ne nommer que celles-ci. Pour ajouter à l'atmosphère déjà fort conviviale et chaleureuse, des spectacles musicaux, des expositions d'art visuel et des événements artistiques composent la programmation des lieux. Un nouveau «camp de base» à découvrir absolument!

Notre sélection à découvrir:

- ➔ ***Broche à Foin***, *Américaine au blé, 5.8 %*
- ➔ ***Racoleuse***, *India Pale Ale, 5.8 %*
- ➔ ***Rocky IV***, *American Pale Ale, 6 %*

LA SUCCURSALE

3188, rue Masson
514-508-1615
www.lasuccursale.com

Lundi-mardi, 15 h-1 h ; mercredi-jeudi, 15 h-3 h ; vendredi-samedi, 13 h-3 h ; dimanche, 13 h-1 h. L'horaire peut varier en fonction de l'achalandage. Items à l'effigie de la brasserie en vente sur place. Terrasses (20 places en avant, 40 sur la 10e Avenue). Club des chopes : 60 $ par an, incluant un verre identifié à votre nom et des invitations à des événements spéciaux.

Fière propriété de Gilles et Yves Mireault ainsi que de Jean-Philippe Lalonde, cette brasserie artisanale du Vieux-Rosemont vient tout juste de souffler la bougie de son premier anniversaire en mai 2012. Retour en arrière sur un projet bien mûri. Jean-Philippe Lalonde, brasseur de métier et de passion, a fait ses débuts en brassage maison, comme plusieurs d'ailleurs. Après un an d'étude en biologique et un cours chez les Laboratoires Maska, il fait son entrée dans le domaine, chez McAuslan à Montréal puis chez AMB | Maître Brasseur à Laval. S'en suit un voyage révélateur en Europe et à son retour, en plus de travailler chez Les 3 Brasseurs, il planche sur un projet de brasserie artisanale. Le 18 mai 2011, avec déjà quatre bières maison aux pompes, c'est l'ouverture de ce qui est maintenant un véritable QG dans le quartier. Pour ceux qui aimeraient voir l'évolution du projet, visitez leur site Internet (onglet « le bar – la construction »).

La Succursale a un petit penchant pour les bières d'inspiration allemande. Sur la quinzaine de recettes développées à ce jour, on retrouve une constance de six à neuf produits aux pompes avec en prime, quelques bières invitées. De la Weizen à la IPA, en passant par la blonde de type Kölsch et le Porter, chacun trouvera son bonheur. La maison aimerait aussi développer les lagers, les bières fumées ainsi que d'autres produits plus corsés. Pour accompagner votre verre de houblon, une belle sélection de coupe-faim et de bouchées sucrées maison vous est proposée, avec un accent sur les produits régionaux. Côté ambiance, on aime la déco au look industriel et son plafond de 12 pieds, sans oublier le mobilier construit par un ébéniste local et la superbe toile faite sur mesure par l'artiste Renaud Hébert. Plusieurs événements sont également organisés au fil des mois pour souligner, notamment, le Nouvel An, la Saint-Patrick, la Journée québécoise de la bière et l'Oktoberfest. Définitivement un endroit où l'on a envie de prendre racine !

Notre sélection à découvrir :

→ ***1814***, *Porter, 5.5 %*
→ ***Angus IP « AAA »***, *India Pale Ale, 7 %*
→ ***Bunnweizen***, *Bière de type Weizen, 5.2 %*
→ ***La Petite-Côte***, *Blonde inspirée des bières allemandes de type Kölsch, 4.8 %*
→ ***La Succursale***, *Bitter anglaise, 4 %*
→ ***Radschläger***, *Ambrée inspirée des bières allemandes de type Alt, 4.8 %*

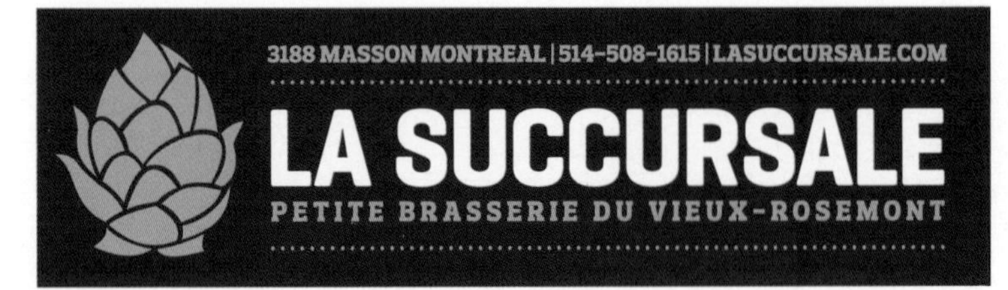

LE CHEVAL BLANC

809, rue Ontario Est
514-522-0211
www.lechevalblanc.ca
Lundi-dimanche, 15 h-3 h. Programmation culturelle et musicale à l'année.

Le Cheval Blanc c'est avant tout un lieu où depuis 1924 les artistes, les gens d'affaire qui travaillent au centre-ville, les étudiants et les citoyens du quartier se retrouvent en fin de journée pour boire des bières de qualité et refaire le monde. C'est aussi un pionnier dans son domaine et la première brasserie à obtenir un permis de brasseur artisan. Cette page d'histoire s'ouvrit en 1987 lorsque Jérôme C. Denys, toujours copropriétaire, décida d'y brasser de la bière. Suite au succès de ses bières, il mit éventuellement sur pied une usine d'embouteillage pour les distribuer à travers la province. En raison des coûts élevés, problème auquel faisaient face également les Brasseurs de l'Anse et les Brasseurs GMT, les Brasseurs RJ furent créés pour regrouper de façon indépendante l'embouteillage de leurs produits. Notez que même si on retrouve La Cheval Blanc chez nos détaillants, les activités de la brasserie artisanale de la rue Ontario sont totalement dissociées de celles de RJ.

À la fin 2008, des travaux de rénovation et d'agrandissement ont permis d'augmenter la capacité de production, notamment en déménageant la salle de brassage au rez-de-chaussée et en acquérant de nouveaux équipements. Les travaux ont également permis d'augmenter la capacité des lieux afin d'accueillir jusqu'à 145 personnes sur place. Une pleine fenestration fut aussi ajoutée à l'arrière donnant ainsi une vue splendide sur une cour verdoyante.

En 2012, la brasserie a célébré en grandes pompes son quart de siècle. Rien de moins. Pendant tout le mois d'avril, les lieux ont accueilli aux pompes des fûts invités d'autres microbrasseries québécoises ainsi que des importations privées. Des soirées mémorables! En plus de brasser d'excellentes bières, avec une constante de huit produits aux pompes dont quelques-unes changent au fil des saisons et selon l'humeur du brasseur, le très créatif Eloi Deit en poste depuis 2002, la brasserie propose une belle sélection en importation privée.

Le Cheval Blanc a toujours offert une place de choix aux artistes émergents: spectacles, lancements de livres et de disques, et expositions d'œuvres d'artistes locaux font entre autres partie de la programmation des lieux. En plus d'être active au niveau culturel, la brasserie met l'emphase sur les produits régionaux dans la conception de son menu: saucissons Fou du Cochon, kaiser au smoked meat, grilled cheese au cheddar Perron... Des petits plats sur le pouce qui accompagneront à merveille votre pinte de houblon.

Le Cheval Blanc est un exemple remarquable de mariage entre taverne de quartier, pub étudiant et brasseur artisanal.

Notre sélection à découvrir :

- → ***Ambrée****, Ale ambrée caramélisée, 5 %*
- → ***Falconer's IPA****, India Pale Ale, 6.8 %*
- → ***Jument****, Weizen sûre, 4.7 %*
- → ***Pils 18****, Lager blonde impériale non-filtrée, 7.5 %*
- → ***Stout Imperial Russe « Islay »****, Stout Imperial Russe 2012 vieilli sous bois avec du Scotch d'Islay, 9 %*
- → ***Tsunami 25****, Imperial West Coast Pale Ale houblonnée à froid avec du Citra, 8.2 %*

LE SAINT-BOCK

1749, rue Saint-Denis
514-680-8052
www.lesaintbock.com
Lundi-vendredi, 11 h-fermeture ; samedi-dimanche, 13 h-fermeture (selon l'affluence). Terrasse. Items à l'effigie de la brasserie en vente sur place.

Cette brasserie artisanale a vu le jour en octobre 2006, en plein cœur du réputé Quartier latin, grâce aux efforts de Martin Guimond et Nancy Parisien. Depuis, sa popularité grandissante ne se dément pas. Au début de l'année 2011, l'ancien aide-brasseur de Dominic Charbonneau, Philippe St-Cyr, a repris le flambeau derrière les barils à titre de maître brasseur assisté du brasseur Toby Bouchard. Ce manitou du fourquet est à la base des savoureuses créations du Saint-Bock, dont la Black Jesus, une Double Black IPA qui fut déclarée grande gagnante lors du concours La Grande Brasse du Festival Bières et Saveurs de Chambly en 2011.

Le Saint-Bock se fait également fier représentant des microbrasseries québécoises avec une constance de 20 lignes de fûts (Le Naufrageur, Brasseurs du Monde, Brasseur de Montréal, Le Trou du Diable, Dieu du Ciel !, Microbrasserie Charlevoix, etc.), sans compter sa carte exhaustive de bières importées. C'est en tout plus de 700 bières qui figurent au menu alors il se pourrait que vous mettiez un certain temps à vous décider… Renseignez-vous également sur les importations privées. Pour les fringales, vous dénicherez sans aucun doute votre plaisir gourmand dans une des douze pages composant le menu et prenez note que la cuisine reste ouverte tous les soirs jusqu'à 2 h du matin ! À ce fait, en 2012, la brasserie a créé un événement gourmand couronné de succès : La Cabane à Bière, une version bien houblonnée de la cabane à sucre traditionnelle. Quelques exemples du menu : lardons « style oreilles de Christ » à la bière Fumée Massive de Brasseurs Illimités, jambon à la bière Corps Mort de À l'abri de la tempête, omelette fines herbes à la bière Pénitente du Saint-Bock, grand-père dans la bière Terrible de Unibroue, tire de bière à la Dominus Vosbiscum double de Charlevoix… On a déjà hâte à 2013 !!!

Bref, un incontournable du Quartier latin qui allie bière artisanale, de microbrasseries québécoises et d'importation, un concept grandissant au Canada. Et bonne nouvelle pour les amateurs des bières maison du Saint-Bock : on devrait retrouver leurs produits réguliers chez nos détaillants dans un avenir rapproché ! À suivre…

Notre sélection à découvrir :

- → ***Apôtre***, *Ale forte de type belge, 9.6 %*
- → ***Black Jesus***, *Double Black IPA, 9.3 %*
- → ***Malédiction***, *Sweet Stout, 5 %*
- → ***Pénitente***, *Bière de blé de type Witbier belge, 5 %*
- → ***Rédemption***, *Scotch Ale, 8 %*
- → ***Tabernacle***, *India Pale Ale, 5 %*

LES BRASSEURS RJ

5585, rue de la Roche
514-274-4941
www.brasseursrj.com

En 1998, M. Roger Jaar achetait tour à tour Les Brasseurs GMT, Les Brasseurs de L'Anse au Saguenay (unité de production toujours active) et la brasserie Cheval Blanc pour ainsi créer les Brasseurs RJ. En réunissant les trois brasseries sous une même entité, Brasseurs RJ devenait un concept unique au Québec avec la possibilité de produire des bières des trois grandes influences brassicoles : lagers (Belle Gueule, Tremblay, Canon) ales de type anglais (Lochness, Folie Douce) et ales de type belge (Blanche de Cheval Blanc, Coup de Grisou, Blonde et Brune d'Achouffe – brassée sous licence, Cap Espoir, N° 926, Tord Vis, Snoreau, etc.).

La brasserie est située en plein cœur du Plateau Mont-Royal et s'étale sur une superficie de plus de 70 000 pieds carrés. Avec sa gamme de produits très diversifiée, fruit du talent et de la passion de maître brasseur Jérôme C. Denys, Brasseurs RJ est rapidement devenue une des brasseries régionales les plus importantes au Québec. Elle est aussi très active dans la distribution de bières européennes telles que Bitburger, Wernesgrüner, König, Köstritzer, Carlsberg, Tuborg ainsi que les bières et coolers Boris.

Les Brasseurs RJ disposent d'une superbe salle de réception (bar privé) avec vue sur la brasserie. Ils la mettent à votre disponibilité pour la tenue d'évènements, de vernissages ou de célébrations privées.

Notez en dernier lieu qu'en 2008, les Brasseurs RJ ont acquis une participation minoritaire dans la brasserie McAuslan.

Notre sélection à découvrir :

→ ***Belle Gueule HefeWeizen****, Ale Weizen (Bière de blé d'inspiration allemande), 5.2 %*

→ ***Belle Gueule Originale****, Lager ambrée, 5.2 % (médaille de bronze au World Beer Cup 2012)*

→ ***Canon,*** *Lager de type Doppelbock, 7.6 %*

→ ***Coup de Grisou,*** *Ale cuivrée épicée à la coriandre, 5 %*

→ ***La Cheval Blanc,*** *Bière de blé de style belge, 5 % (médaille d'or au Canadian Brewing Awards 2012)*

→ ***Titanic****, Bière brune sur lie de style belge, 7 %*

LES 3 BRASSEURS

1658, rue Saint-Denis, 514-845-1660
105, rue Saint-Paul Est, 514-788-6100
732, rue Sainte-Catherine Ouest, 514-788-6333
1356, rue Sainte-Catherine Ouest, 514-788-9788
7225, boulevard des Galeries d'Anjou, 514-351-5591
www.les3brasseurs.ca
Dimanche-mercredi, 11 h 30-minuit ; jeudi, 11 h 30-1 h ; vendredi-samedi, 11 h 30-2 h. Horaire variable selon l'affluence et la saison.

L'histoire des 3 brasseurs au Québec a débuté le 21 juin 2002, à 20 h 30. Les employés étaient encore affairés à nettoyer et frotter murs et escaliers, lorsque le patron décida d'ouvrir les portes du 1658 Saint-Denis à Montréal, premier restaurant de la chaine française en Amérique. À 21 h 45, le patron refusait déjà les clients à l'entrée. La brasserie fonctionne à plein régime depuis. Il n'est pas rare de voir des clients debout à attendre une place pour les 5 à 7, où la pinte de bière brassée sur place est offerte au prix de la demie (Blonde et Ambrée). En été, ne ratez pas l'occasion de prendre l'apéro sur l'une de leurs terrasses bondées, rue Saint-Denis, Saint-Paul Est, Sainte-Catherine Ouest (coin McGill College), Anjou, Quartier Dix 30 à Brossard et Centropolis à Laval.

Au menu des bières, choisissez parmi la Blonde, l'Ambrée, la Brune ou la Blanche, brassées devant vos yeux et si vous hésitez, optez pour l'Etcetera : une palette de saveurs parmi lesquelles vous trouverez votre préférée ! En groupe, vous préfèrerez le spectaculaire « mètre de bières » vous offrant dix verres de bières variées, accompagnés d'une Flamm, spécialité culinaire des 3 brasseurs. La diversité est au menu, avec des plats comme les moules et les hamburgers à la bière maison, la choucroute, des salades et grillades, mais surtout les Flammekueches, spécialité des 3 brasseurs. On les apprécie en plat principal, nappées de crème et d'une variété de garnitures : lardons, poulet, légumes variés et fromages du Québec, ou en dessert, garnies de pommes, bananes et chocolat.

Le premier établissement de la chaîne, qui en compte plus de trente, a vu le jour à Lille, dans le nord de la France en 1986. Chaque restaurant offre une atmosphère bien distincte, intégrée à son milieu et toujours accueillante pour sa clientèle composée tant d'étudiants que gens d'affaires et professionnels, dans une ambiance décontractée.

Comme vous l'aurez compris, le concept fonctionne fort bien et la région de Montréal compte maintenant sept établissements plus à un à Québec et un autre à Toronto (Ontario). Un nouvel emplacement devrait voir le jour à Ottawa à la fin de l'automne ou début de l'hiver 2012.

Notre sélection à découvrir :

- → ***Ambrée,*** *Ale ambrée, 6.2 %*
- → ***Blanche,*** *Ale blanche, 4.8 %*
- → ***Blonde****, Ale blonde, 5.2 %*
- → ***Brune****, Ale brune, 4.7 %*
- → ***La Belle-Province****, Ale ambrée avec une addition délicate de sirop d'érable, 7 %*
- → ***La Triple****, Bière dorée, amertume longue et fine, trois fermentations différentes dont la dernière en bouteille, 7.9 %*

UNE VISITE GUIDÉE LUDIQUE ET HOUBLONNÉE

Que diriez-vous d'allier découverte et bières de microbrasserie en plein cœur de la métropole? Local Montréal, qui propose des visites culturelles et gastronomiques à pied des lieux courus de la ville, offre le tour guidé «Visite des Brouepubs de Montréal». Au menu, deux kilomètres à travers les quartiers vibrants, branchés et pittoresques du Quartier latin et du Plateau Mont-Royal. La visite comprend la visite de trois brouepubs de renommée, un goûter gastronomique de fromage, sirop d'érable et bière locale, trois collations différentes (une à chaque brouepub), ainsi qu'un survol de l'histoire contemporaine du Québec en lien avec la joie de vivre actuelle de Montréal. Pour de plus amples informations ou pour réserver: 1 866-451-9158 ou **www.localmontreal.ca**. Cheers!

RÉSERVOIR

9, rue Duluth Est
514-849-7779
www.brasseriereservoir.ca
En été : ouvert tous les jours dès 15 h. Le reste de l'année : lundi-jeudi, 15 h-3 h ; vendredi, 12 h-3 h ; samedi-dimanche, 10 h 30-3 h (brunch gourmand).

Au niveau de l'affichage, l'enceinte du Réservoir ne paie pas de mine. Le petit logo est très discrètement apposé sur la façade de l'établissement mais, c'est l'odeur du malt et des céréales qui se charge d'éveiller les sens lorsqu'on arrive au coin des rues Saint-Laurent et Duluth. Question déco, le Réservoir joue la carte de la sobriété : quelques photographies égayent les murs de briques et les grandes cuves de fermentation se chargent de l'arrière plan. C'est simple et réussi ! Le soir, la luminosité provenant des lampadaires de la rue Duluth traverse l'immense fenêtre qui sert de façade avant et confère au pub une ambiance typique des pubs européens de quartier. Les propriétaires qui ont fondé cette brasserie artisanale en 2002 ont gagné leur pari : le Réservoir a une âme et on prend vite goût à y retourner fréquemment. Est-ce sa noire digne des Stouts d'Irlande, ses découvertes houblonnées à chaque saison ou son menu qui font de cette brasserie le lieu idéal des 5 à 7 ? Qu'importe, on prend plaisir à y revenir ! Sachez également que le Réservoir embouteille certains de ses produits en format de 750 ml et uniquement en vente sur place : Saison (bière forte blonde de style belge, bien houblonnée et très effervescente, refermentée en bouteille, 7 à 8 %), Cascadia (Pale Ale Impériale, triple houblonnage à la Cascade, refermentée en bouteille, 7 à 8 %), Belgo (Scotch Ale belge, bière acide et fruitée, refermentée en bouteille, 6 %), et Berliner-Weisse (bière sûre de style allemand, très effervescente, servie nature ou avec sirop de fruits maison, 3.5 %).

Notre sélection à découvrir :

→ ***Bière aux cerises***, *Bière saisonnière, 5.5 %*

→ ***Blanche***, *Bière classique de type belge, 4.5 %*

→ ***India Pale Ale***, *India Pale Ale (parfois offert en version azotée), 5.5 %*

→ ***Noire***, *Dry Stout, 4.5 %*

→ ***Pilsner,*** *Lager blonde de style européen bien houblonnée, 5 %*

→ ***Weizen***, *Bière de blé de style allemand, 5 %*

AUBERGISTE, À BOIRE !

BIÈRES ET COMPAGNIE

4350, rue Saint-Denis
514-844-0394
www.bieresetcompagnie.ca
Lundi-dimanche, 11 h-fermeture (ouvert tard).

Des mets savoureux et de qualité, une carte des bières particulièrement étoffée, le tout dans un décor agréable et confortable. C'est tout cela Bières et Compagnie ! Comme son nom l'indique, le houblon est la raison d'être de ce restaurant où cuisine et bières font bon ménage : soupe à l'oignon à la Boréale Noire gratinée au cheddar blanc, braisé de bœuf à la bière Trois-Pistoles, choucroute garnie mijotée à la Boréale… Lieu de prédilection des bièrophiles, le choix est difficile parmi la centaine de bières proposées, dont une belle sélection d'importations privées. Les produits québécois représentent une quarantaine de bières, ce qui n'est pas négligeable ! Notez que les moules sont à volonté du dimanche au mercredi pour environ 20 $, le tout accompagné d'excellentes frites belges.

COMME CHEZ SOI

297, chemin Bord du Lac, Pointe-Claire
514-693-9555 / 1 866-693-9555
www.commechezsoi.com
Dimanche-lundi, ouvert sur réservation de groupe uniquement ; mardi-samedi, 11 h-23 h. Service de traiteur.

Une belle découverte dans l'ouest de la métropole que ce petit resto belge ! Situé dans le beau cadre du lac Saint-Louis, on y propose une fine cuisine aux saveurs du Vieux Continent avec, bien entendu, des spécialités du plat pays telles que les moules à la gueuze, la carbonnade de bœuf flamande ou encore le waterzoi de poulet à la Gantoise. Les plus gourmands opteront pour le menu gastronomique servi en 5 services. Le rapport qualité-prix est imbattable, surtout en ce qui a trait au menu express bistro. Pour accompagner le tout, une carte de bières belges en importation privée comblera tout bièrophile avec une trentaine de références. Sachez que l'endroit est aussi spécialisé en martini… avis aux amateurs !

FOURQUET FOURCHETTE

265, rue Saint-Antoine Ouest, Palais des Congrès
514-789-6370
www.fourquet-fourchette.com
Lundi-mercredi, 11 h 30-16 h ; jeudi-vendredi, 11 h 30-22 h ; samedi, 17 h 30-22 h ; dimanche, fermé. Ouvert en tout temps pour les groupes sur réservation. Terrasse.

Le temple de la gastronomie québécoise à la bière ! L'appendice culinaire du Fourquet Fourchette est une halte incontournable, que l'on soit ou non amateur de bières. Et si vous ne l'êtes pas, vous le deviendrez ! Situé en plein cœur du quartier des affaires, à deux pas du Vieux-Montréal, ce restaurant aux airs de Neuve France et de légendes amérindiennes propose des plats cuisinés où l'harmonie des saveurs et des goûts vous fera vivre une expérience unique. À la carte, des plats extraordinaires comme la salade tiède de pétoncles et de saumon fumé à la « Raftman », le ragoût de caribou à la gelée de cèdre et à la « Trois Pistoles », ou encore le pot-au-feu du Bas du Fleuve à la « U ». Une expérience haute en saveurs dans une atmosphère hors du temps !

FRITE ALORS !

5235-A, avenue du Parc, 514-948-2219
3527, avenue Lacombe, 514-509-1084
1562, avenue Laurier Est, 514-524-6336
433, rue Rachel Est, 514-843-2490
1710, rue Saint-Denis, 514-658-5522
3497, boulevard Saint-Laurent, 514-840-9000
680, rue Sainte-Catherine Ouest, 514-508-0609
5405, 9e avenue, 514-593-8008
171, rue Villeray, 514-507-7127
128, rue Fleury Ouest, 514-419-9131
www.fritealors.com
Horaire variable selon la succursale.

Dans cette friterie belge qui a d'abord ouvert ses portes sur l'avenue du Parc en 1991, les saucisses, hamburgers, sandwichs, frites, bavettes de bœuf marinées et steaks tartares s'accompagnent volontiers d'une bonne bière. Le bistro propose une quinzaine de sortes de bières importées et québécoises. Brasseur de Montréal concocte d'ailleurs la Bachi-Bouzouk, une Pilsener maison pour Frite Alors. C'est également l'occasion parfaite de découvrir (ou redécouvrir) les excellentes bières belges telles que la Blanche de Bruxelles et la Leffe blonde. De quoi nous aider à rafraîchir notre bouche lorsque l'on dévore le fameux sandwich Mitraillette aux merguez !

IN VIVO – BISTRO CULTUREL ENGAGÉ

4264, rue Sainte-Catherine Est
514-223-8116
www.bistroinvivo.coop
Lundi-mercredi, 17 h-23 h ; jeudi-vendredi, 17 h-minuit ; samedi, 10 h-minuit ; dimanche, 10 h-15 h. Horaire sujet à changement. Expositions d'art visuel et spectacles. Brunch le week-end. Terrasse.

Comme son nom l'indique, ici l'engagement est pris au sérieux ! Engagement musical d'abord, car ici les spectacles se succèdent sans temps mort. C'est presque chaque soir qu'un artiste différent monte sur scène. La programmation favorise les auteurs-compositeurs de la relève québécoise. Autre engagement : la consommation locale. Ainsi, au menu des bières, les microbrasseries québécoises ont l'exclusivité (Brasseur de Montréal, Dieu du Ciel !, La Barberie, Le Bilboquet, La Voie Maltée, Pit Caribou, Le Naufrageur, etc.). Autres délices alcoolisés du Québec : l'hydromel et le cidre. Enfin, engagement gastronomique avec un menu abordable (plats à moins de 15 $, table d'hôte offerte) qui comprend des savoureux plats inspirés des traditions d'ici et d'ailleurs, composés entièrement de produits frais et de saison.

L'INSPECTEUR ÉPINGLE

4051, rue Saint-Hubert, Montréal
514-598-7764
Lundi-samedi, 12 h-3 h ; dimanche, 15 h-3 h. Programmation culturelle et musicale à l'année. Table de billard.

L'Inspecteur Épingle a ouvert ses portes en 1987. Son nom provient de celui d'un personnage du roman « Contes-gouttes » de Plume Latraverse. Certains artistes de la chanson québécoise et francophone viennent régulièrement « faire leur tour », soit comme clients soit comme artistes invités. En effet, des spectacles ont lieu pratiquement tous les soirs et permettent de découvrir des artistes confirmés mais également d'autres de la relève. Un pur plaisir pour les oreilles ! Le décor est sobre, agrémenté d'expositions d'art visuel qui changent fréquemment. Les bières des Brasseurs RJ, de Boréale ou encore de L'Alchimiste composent le menu de l'Inspecteur avec une rotation des produits aux pompes, question de savourer d'autres bières bien de chez nous. Un incontournable de la scène culturelle locale avec une ambiance sympathique et informelle qui contraste avec les bars branchés du Plateau, ce qui n'est pas pour nous déplaire !

PUB TERRASSE LE SAINT-CIBOIRE

1693, rue Saint-Denis
514-843-6360
www.pubsaint-ciboire.com
Lundi-dimanche, 11 h-3 h (de 14 h à 3 h d'octobre à mars). Terrasse.

Le Pub Terrasse Le Saint-Ciboire, c'est d'abord et avant tout un endroit convivial où l'on peut profiter de l'une des plus grandes terrasses de Montréal. Le Saint-Ciboire se démarque autant par sa programmation que par sa variété de bières de microbrasseries. On y trouve onze produits locaux en fûts, une quinzaine en bouteille et une carte présentant plus d'une vingtaine de whiskies et de scotchs. On peut y savourer ses bons produits locaux tout en y découvrant les talents artistiques québécois lors des soirées musicales, d'improvisation ou d'humour!

PUB MC CAROLD'S

5400, chemin de la Côte-des-Neiges
514-344-9009
www.pubmccarold.com
Lundi-samedi, 11 h 30-3 h; dimanche, 11 h 30-1 h. Terrasses.

Véritable petit bijou du quartier Côte-des-Neiges, à deux pas de l'université, ce pub prouve qu'on peut découvrir un havre du houblon sans nécessairement être en plein cœur du centre-ville. Dès le premier coup d'œil au menu, le bièrophile ne peut que sourire et avec raison: une trentaine de bières aux pompes et tout autant en bouteille. La bière locale est représentée par Unibroue, Sleeman, Boréale, McAuslan et Les Brasseurs RJ. Mais la spécialité du Mc Carold's est sans contredit les bières importées. Les nostalgiques du plat pays (la Belgique!) se réconforteront avec une Chimay Grande Réserve, une Chouffe, une Delirium Tremens, une Duvel, une Maredsous ou une Orval. Très belle sélection de scotchs et menu bouffe de type pub.

VICES & VERSA

6631, boulevard Saint-Laurent
514-272-2498
www.vicesetversa.com
Dimanche-lundi, 13 h-2 h; mardi-samedi, 13 h-3 h. Programmation culturelle et musicale à l'année.

Un bistro québécois et fier de l'être! L'endroit, qui a subi des travaux d'agrandissement, propose un vaste choix de produits de microbasseries avec au menu une trentaine de bières différentes et toutes locales ainsi qu'une petite sélection en cask, à déguster au galopin, au verre ou à la pinte. Un véritable tour de la Route des bières du Québec au cœur même de Montréal! L'équipe de Vices & Versa se fait également la vitrine d'artisans d'ici en mettant à l'honneur les produits du terroir pour un mariage admirable aux bières proposées. À l'ardoise, des sandwichs bavarois, des pizzas, des burgers gourmands, l'assiette de fromages et terrines ainsi qu'une sélection de grignotines. Ajoutez à cela une agréable terrasse à l'arrière et des spectacles et vernissages qui rendent l'endroit plus agréable encore, et vous comprendrez notre engouement pour cette adresse. À noter : le propriétaire, Sébastien Gagnon, a acquis la Brasserie Dunham en 2010. D'excellentes bières à découvrir !

MARCHANDS DE BONHEUR

BIÈRES ETC. – SAVEURS D'ICI

4204, rue Sainte-Catherine Est
514-439-5627
www.bieresetc.ca
Lundi-mercredi, 11 h-19 h ; jeudi-vendredi, 11 h-21 h ; samedi-dimanche, 11 h-18 h. Horaire sujet à changement. Emballages-cadeaux sur mesure (préavis de 24 h), verres à bière en vente sur place. Dégustations de produits à la boutique (voir la page Facebook pour les dates).

Nouveauté rafraîchissante dans le quartier HoMa, la boutique de Brigitte Couture est un hymne aux saveurs régionales et aux découvertes houblonnées. Elle-même passionnée de bières québécoises depuis un bon moment, elle décida de combiner cette passion au désir d'ouvrir son propre commerce, d'autant plus que les bières de microbrasserie étaient une denrée rare dans le quartier. Naquit alors Bières Etc. dont l'ouverture officielle fut célébrée le 15 novembre 2011. Comme son nom l'indique, la bière règne ici en maîtresse des lieux. Plus d'une trentaine de microbrasseries québécoises y ont vitrine et l'inventaire devrait continuer son ascension au fil des mois. On y retrouve également les cidres des Vergers de la Colline et de McKeown, ainsi que des boissons sans alcool tels des moûts de pommes, de la bière d'épinette et de la sangria. Pour accompagner le tout, une belle sélection de produits du terroir se fera le compagnon de vos 5 à 7 : marinades, tapenades, salsas, rillettes, pâtés, fromages, charcuterie... Une adresse chaudement recommandée où l'on vous prodiguera moult conseils des plus avisés !

LA CONSIGNE BEER CHOPE

168, rue Fleury Ouest
514-439-2332
www.laconsigne.ca
Lundi-dimanche, 11 h-21 h. Items à l'effigie de la boutique en vente sur place.

Les habitants du quartier Ahuntsic ont de quoi se réjouir : ils ont enfin une boutique spécialisée en bières québécoises, fière propriété de Yanick Nolet. Près d'une trentaine de microbrasseries d'ici distribuent leurs savoureux produits houblonnés pour un superbe choix de près 200 variétés de bières, tous styles confondus, sans oublier les cidres québécois. Pour vous aider dans votre sélection, une équipe passionnée et finement renseignée se fera un plaisir de vous aguiller, dont Gabrielle Côté-Lebreux, une référence dans le domaine. On y retrouve également quelques grignotines et produits fins dont ceux de La Belle Excuse, de la Maison Orphée et de la Fourmi Bionique, par exemple. Pour avoir des idées d'accords mets et bières, jeter un coup d'œil à l'ardoise, signe d'une belle entente avec le resto voisin, le Chien Rose. Longue vie à La Consigne !

WILLIAM J. WALTER

www.williamjwalter.com

William J. Walter Saucissier est une adresse gourmande fort réputée depuis plus d'une vingtaine d'années. Création des frères Cusson dans les années 1980, le premier magasin avait pignon sur rue à la Plaza Côte-des-Neiges mais ferma quelques mois plus tard. Deux autres magasins ont ensuite ouvert leurs portes, soit au Marché 440 de Laval et au Marché Les Halles d'Anjou à Montréal, et font toujours partie du réseau William J. Walter. L'idée était de produire et de vendre eux-mêmes des saucisses haut de gamme, à l'image de ce que font les charcutiers en Europe. Allemandes, Toulouse et Italiennes étaient les produits phares de l'entreprise et au fil des ans, et notamment grâce à des recherches en laboratoire, de nouvelles saveurs ont fait leur apparition sur les comptoirs du saucissier qui compte dorénavant plus d'une soixantaine de sortes différentes, disponibles dans une trentaine de succursales à travers la province.

Pour vous donner une idée, ou plutôt envie, imaginez pouvoir savourer des saucisses de canard et herbes de Provence, de chevreuil et vin rouge, ou encore de sanglier, bleuet et cidre de glace… Ça ouvre l'appétit ! Et quoi de mieux que des bières québécoises pour accompagner le tout ! Une quinzaine de succursales ont une sélection de bières de microbrasserie particulièrement étoffée et pourront sans nul doute vous conseiller dans le choix d'accords saucisses-bières (*voir les spécialités des succursales plus bas*).

William J. Walter Blainville
947, Boul. Curé Labelle, Blainville 450.420.4555
Spécialités : Saucisses et plus de 300 bières de microbrasserie

William J. Walter Fleury (Ahuntsic)
1314, rue Fleury, Montréal 514.383.2999
Spécialités : Saucisses, pâtes fraîches, sauces et bières de microbrasserie

William J. Walter Longueuil
123, rue St-Charles Ouest, Longueuil 450.748.0744
Spécialités : Saucisses, fromages, épicerie fine et bières

William J. Walter Marché 440
3535 Autoroute 440, Laval 450.681.9724
Le saucissier au cœur des marchands du Marché Public 440

William J. Walter Marché Les Halles d'Anjou
7500, Boul Les Galeries d'Anjou 514.351.6378
Le saucissier au cœur des marchands du Marché Public Les Halles d'Anjou

William J. Walter Marché Jean-Talon
244, Place du Marché du Nord 514.279.0053
Le saucissier au cœur des marchands du Marché Jean-Talon

William J. Walter Plateau Mont-Royal
1957, rue Mont-Royal Est , Montréal 514.528.1901
Spécialités : Saucisses, bières de microbrasserie

William J. Walter Repentigny
467, rue Notre-Dame, Repentigny 450.585.0005
Spécialités : Saucisses, viandes sauvages, tourtières, crémerie

William J. Walter Salaberry-de-Valleyfield
67 rue Alexandre, Salaberry-de-Valleyfield 450.747.4475
Spécialités : Saucisses, pâtes fraîches, sauces et bières de microbrasserie

William J. Walter Sherbrooke
Marché de la Gare, 107, rue Minto, Sherbrooke 819.563.6294
Spécialités : Saucisses, charcuteries, épicerie fine

William J. Walter St-Bruno
1380, de Montarville, St-Bruno 450.461.3033
Spécialités : Saucisses, fromages, épicerie fine

William J. Walter Ste-Dorothée
545, boul Samson Ouest, Ste-Dorothée 450.689.8436
Spécialités : Saucisses, grande sélection de fromages fins, bières de microbrasserie

William J. Walter Ste-Hyacinthe
Marché Public St-Hyacinthe - 1555, des Cascades 450.771.4331
Spécialités : Saucisses, charcuteries, épicerie fine

William J. Walter St-Jérôme
617 A St-Georges, St-Jérôme 450.432.4026
Spécialités : Saucisses, bières de microbrasserie, épicerie fine

William J. Walter Ste-Marthe-sur-le-Lac
2939, boulevard de Promenades, Ste-Marthe-sur-le-Lac 450.983.3154
Spécialités : Saucisses, fromages fins, bières de microbrasserie

LE MARCHÉ DES SAVEURS DU QUÉBEC & LA MAISON DES VINS ET BOISSONS ARTISANALES DU QUEBEC

Marché Jean-Talon : 280, Place du Marché-du-Nord
514-271-3811
www.lemarchedessaveurs.com
Samedi-mercredi, 9 h-18 h ; jeudi-vendredi, 9 h-20 h. Emballages-cadeaux, confection de plateaux de fromages et charcuteries.

Le Marché des Saveurs est une boutique unique en son genre puisque vous y trouverez pas moins de 2 500 produits régionaux québécois. Un véritable trésor rassemblé avec passion par les propriétaires Tony Drouin et sa femme Suzanne Bergeron. Tout ce que le Québec a de meilleur se trouve dans ce marché ! En plus de la multitude de produits gourmands, on y découvrira une belle variété de boissons artisanales telles que le cidre, le vin, l'hydromel, les alcools de petits fruits, les boissons à l'érable et, bien entendu, la bière de microbrasserie. Et quel choix ! Des dizaines de microbrasseries sont représentées ici. La liste est longue et le grand réfrigérateur, bien garni. Un endroit dont on ne ressort jamais les mains vides !

LES DÉLIRES DU TERROIR

6406, rue Saint-Hubert
514-678-6406
www.lesdeliresduterroir.com
Lundi-mercredi, 11 h-18 h 30 ; jeudi-vendredi, 11 h-21 h ; samedi, 11 h-18 h ; dimanche, 11 h-17 h 30.

Les Délires du terroir, comme son nom l'indique, est une boutique qui vend uniquement des produits faits au Québec. La sélection de bières est si vaste qu'on se dit que de rassembler une telle collection, c'est plutôt délirant ! Triés sur le volet, les produits de microbrasserie ici représentés sauront satisfaire tant les amateurs en quête de découverte que les bièrophiles aguerris. Elle a même une bière faite sur mesure pour elle : la Délirante des Brasseurs du Hameau.

Niveau délices, on trouve des chocolats, des produits à l'érable, des vinaigrettes, des tartinades, des confits, etc. La sélection d'une trentaine de fromages québécois est elle aussi inspirante. Les bières, gourmandises et fromages en font une bonne place pour acheter des cadeaux et les proprios l'ont bien compris : ils vous proposent des paniers-cadeaux, mêlant bières et saveurs. N'hésitez pas à vous renseignez sur les différentes combinaisons bières et fromages que l'on vous propose en boutique. De plus, il est possible d'organiser ce type de dégustation dans le confort de votre maison ou en entreprise. Tout est préparé à l'avance avec les fiches d'information sur les produits et un « animateur » peut même se déplacer pour l'événement.

MARCHÉ BELLEMARE

349, rue de l'Église
514-761-3406
Lundi-dimanche, 8 h-21 h.

Le Marché Bellemare s'est créé une solide réputation en offrant une des plus grandes sélections de bières de la province, surtout en ce qui a trait aux produits rares. C'est plus de 300 bières qui trônent sur les étalages et pratiquement toutes les microbrasseries du Québec y sont représentées. L'ambiance familiale contribue également à en faire un commerce sympathique et la famille Bellemare mise sur deux éléments-clés : la bonne bière et une gestion familiale. Le concept fonctionne à merveille car la clientèle vient parfois de très loin pour se procurer ses bières préférées !

Autres adresses du Marché Bellemare : 2121, boulevard Lapinière, Brossard, 450-466-6850 ; 5350, Grande Allée, Saint-Hubert, 450-676-0220

SOCIÉTÉ DES ALCCOLS DU QUÉBEC

(visitez leur site Internet pour les adresses des succursales)
www.saq.com

On a tendance à associer la SAQ uniquement aux vins et spiritueux mais la plupart des succursales offrent également une large sélection de bières importées ainsi que certains produits de microbrasseries québécoises. C'est en tout une vingtaine de pays qu'on retrouve en tablette et on est souvent surpris de la provenance de certains produits : Grèce, Trinidad-et-Tobago, Nouvelle-Zélande, Suisse, Pérou, Vietnam… De quoi faire assurément quelques découvertes ! Pour les amateurs désirant perfectionner leurs connaissances, la SAQ offre, en partenariat avec la firme Savori, un cours sur les bières alliant histoire, fabrication, dégustation et accord mets-bières (formation accréditée par les cours Connaisseurs de la SAQ). Le cours s'échelonne sur deux semaines à raison de trois heures par rencontre (2) et coûte 115 $. À mettre sur votre prochaine liste de cadeaux de Noël ! Pour info : www.savori.ca

VEUX-TU UNE BIÈRE ?

372, rue de Liège Est
514-871-2771
www.veuxtuunebiere.com
Lundi-dimanche, 11 h-23 h. Emballages-cadeaux sur mesure, verres à bière en vente sur place.

Ouverte depuis août 2010, cette boutique est un havre pour les amateurs de bières de microbrasserie et de produits gourmands. À la barre de cette adresse, deux amis de longue date, Carl Péloquin et Patrice Fortin-Lavoie, fin connaisseurs et bièrophiles passionnés. Il faut dire que les deux comparses sont fervents de brassage maison, Carl ayant d'ailleurs suivi un cours chez AMB | Maître Brasseur, sans oublier des voyages les menant sur la Route des Bières du Québec et dans le Vermont. Cette passion se ressent partout en boutique, de la sélection des produits tous triés sur le volet au service impeccable et personnalisé. On retrouve en tout temps entre 240 et 275 sortes de bières différentes, de quoi vous permettre de faire de belles découvertes, notamment lors des dégustations offertes chaque vendredi et samedi de 15 h à 20 h. De plus, une section gourmande propose toutes sortes de bons produits tels des saucissons, des fromages du Québec, du saumon fumé, des confits, des sauces, des noix et craquelins, de la fleur de sel, des huiles, du thé du Labrador, etc. Une grande majorité est issue du terroir québécois, dans la mesure du possible. Bref, une adresse qui mise sur la qualité, la fidélisation et des prix plus qu'alléchants.

Et aussi :

DÉPANNEUR AU COIN DULUTH

418, avenue Duluth Est
514-288-8830
www.aucoinduluth.com

DÉPANNEUR LA GRIGNOTERIE

1301, rue Saint-Zotique Est
514-274-8856

DÉPANNEUR LAURIER

1420, avenue Laurier Est
514-523-6496

DÉPANNEUR PELUSO

2500, rue Rachel Est
514-525-1203
www.depanneurpeluso.com

DÉPANNEUR POPULAIRE GUO

3355, rue Ontario Est
514-527-1087

DÉPANNEUR SIMON ANTHONY

1349, rue Beaubien Est
514-272-3632

ÉPICERIE JOSÉ

470, avenue Duluth Est
514-843-6600

FROMAGERIE ATWATER

134, rue Atwater, 514-932-4653 / 1 866-591-4652
1863, rue Notre-Dame, Lachine, 514-634-7774 (La fromagerie va développer le créneau des bières québécoises tout comme la succursale du Marché Atwater. Les contacter avant de vous y rendre.)
www.fromagerieatwater.ca

MARCHÉ DUNN

3824, boulevard Décarie
514-484-8421

POMME D'API

2599, boulevard Rosemont
514-727-1437

SUPERMARCHÉ RAHMAN – LE PARADIS DE LA BIÈRE

151, avenue Laurier Ouest
514-279-2566

TABAGIE RANGER

6476, 1ère Avenue
514-722-6660

Québec

L'ORDRE DU MALT, UN RETOUR DANS LE PASSÉ BRASSICOLE DE QUÉBEC !

Les Services historiques Six-Associés proposent des circuits touristiques intelligents et très intéressants abordant plusieurs thèmes insolites de l'histoire de la ville de Québec. Depuis quelques années, une nouvelle visite vous transporte au cœur de l'histoire et de l'évolution de l'industrie brassicole à Québec, du régime français à aujourd'hui : L'Ordre du malt. En compagnie de David McCallum, petit-fils héritier des célèbres brasseries McCallum, apprenez-en plus sur la consommation de cette boisson, familiarisez-vous avec les plus célèbres familles de brasseurs et apprenez les recettes et techniques de nos ancêtres. Du Petit Champlain jusqu'au quartier Saint-Roch, en passant par les anciennes brasseries du Vieux-Port, le tout se termine par une dégustation à la célèbre microbrasserie La Barberie. Visite disponible en saison estivale pour les visiteurs individuels et à l'année sur réservation de groupes.

Pour en savoir plus ou pour faire une réservation : 418-692-3033 ou **www.sixassocies.com.**

CHEZ LE BRASSEUR

ARCHIBALD MICROBRASSERIE / RESTAURANT

1021, boulevard du Lac, Lac-Beauport, 418-841-2224 / 1 877-841-2224
1240, autoroute Duplessis, Sainte-Foy, 418-877-0123
www.archibaldmicrobrasserie.ca

Horaire variable selon la succursale. Programmation culturelle et musicale aux deux adresses. Items à l'effigie de la microbrasserie en vente sur place.

Archibald, c'est un projet que François Nolin avait en tête depuis un bon moment. À l'été 2005, Archibald ouvre les pompes sur son magnifique site à Lac-Beauport. L'endroit connaît alors un véritable engouement ! Afin de répondre à la demande toujours croissante, l'équipe opta pour un élargissement de la palette de bières et une augmentation de la capacité de brassage en 2007. Par la suite, Archibald lança cinq de ses produits en cannettes, doublant ainsi sa production. D'autres bières ont joint les rangs de la ligne d'embouteillage, dont la toute nouvelle Light, et on les retrouve chez les détaillants spécialisés de la province ainsi que dans certains établissements licenciés de la grande région de Québec. Fier de son succès, Archibald a ouvert un 2e établissement à Sainte-Foy à l'été 2011, question de doubler votre plaisir.

Si vous êtes de la région ou y êtes de passage, un arrêt chez Archibald s'impose afin de découvrir sa cuisine et les bières exclusives à ses restaurants. Yves Bergeron, le maître brasseur, nous propose une douzaine de bières maison, allant de la blanche à la noire, en passant par la Pilsener et le Porter. Côté boustifaille, les deux adresses proposent chaque jour un menu où grillades, poissons, pâtes et pizzas accompagnent à merveille les différentes bières figurant au menu. Des plats plus légers et un menu du midi sont également disponibles.

Archibald se distingue aussi par son décor champêtre rappelant un chalet de pêche ou de chasse traditionnel québécois avec terrasse, où l'on retrouve cinq foyers extérieurs ainsi qu'un bar en bois rond. La succursale de Sainte-Foy a été bâtie également dans cette optique. Venez vivre une expérience inoubliable qui vous transportera dans un environnement de souvenirs, de bois, de cuir et de fourrure.

À noter, toute l'équipe de la Microbrasserie Archibald vous propose chaque année, dans une ambiance des plus bavaroises, le fameux et populaire OKTOBERFEST! En octobre, la microbrasserie offrira donc un menu très varié et tout désigné pour la fête. Jambon à la Ciboire & choucroute, saucisses fumées Frankfurt et frites, trio de saucisses allemandes & choucroute, ou encore côte de porc fumé & choucroute feront l'envie des plus friands de cette cuisine originaire de Munich, cette réputée ville allemande.

Notre sélection à découvrir :

- → ***Archibald Light,*** *Ale blonde légère, 4 %*
- → ***La Brise du Lac,*** *Pilsener de type Münchner Helles, 4,8 %*
- → ***La Choutte****, Porter, 5 % à 5.5 %*
- → ***La Ciboire****, India Pale Ale, 5.6 %*
- → ***La Joufflue****, Bière de blé de type Witbier belge, 4.2 %*
- → ***La Veuve Noire****, Ale anglaise de type Irish Dry Stout, 3,5 % à 4 %*

BRASSERIE ARTISANALE LA SOUCHE

801, chemin de la Canardière, Québec
581-742-1144
www.lasouche.ca

Lundi, fermé ; mardi-mercredi & dimanche, 11 h-1 h ; jeudi-samedi, 11 h-3 h. Horaire sujet à changements. Items à l'effigie de la brasserie en vente sur place (pas encore disponibles à l'été 2012 mais plutôt au courant des mois à venir). Programmation culturelle et musicale à l'année. Terrasse.

Dernière-née des brasseries artisanales de la Capitale, La Souche a établi son «camp de base» à Limoilou en février 2012, un quartier en pleine effervescence qui vaut amplement le petit détour. À la base de ce beau projet, quatre comparses tous fous de la bière artisanale : Antoine Bernatchez, Jean-François Simard, Nicolas Allen-Demers et Patrick Champagne. Antoine a suivi un cours d'écophysiologie végétale à l'Université Laval ainsi qu'une formation de brassage avancé aux Laboratoires Maska de Saint-Hyacinthe. Véritable passionné du domaine, il a également fait du brassage maison pendant sept ans et a assisté quelques brasseurs dans différentes microbrasseries, question de se faire la main. Jean-François et Nicolas seront d'ailleurs formés sous peu par Antoine afin de l'assister en tant qu'aides-brasseurs. Le permis de brasseur artisan se faisant attendre, les bières de La Souche n'étaient pas encore disponibles à l'été 2012 lors de la rédaction de cet article. Mais qu'à cela ne tienne, la brasserie offre sur ses lignes des bières invitées d'autres microbrasseries québécoises telles Dieu du Ciel !, Trou du Diable, Corsaire Microbrasserie, Pit Caribou, Microbrasserie de l'Île d'Orléans, Microbrasserie des Beaux Prés, Le Bilboquet ou encore Microbrasserie Charlevoix, pour ne nommer que celles-ci. Pour les curieux ou ceux qui veulent goûter à tout, des souchettes sont proposées (choix de cinq bières parmi celles figurant au menu). Pour accompagner votre pinte de houblon, un menu savoureux est proposé, sous la gouverne du chef Patrick Champagne : entrées (hummus aux poivrons rouges grillés maison avec pitas frits, rondelles d'oignons pannées à la bière et glacées au miel de nos ruches du Québec…), pizzas gourmandes (4 fromages, chèvre et tomates séchées…), fringales (soupe à l'oignon et à la bière gratinée, poutine originale sauce à la bière, hot dog gourmet, fish & chips…), salades et sandwichs, etc. Un menu midi est également offert et comprend, en plus du plat principal, soit la soupe du moment soit un verre de bière, le tout à un prix des plus séduisants. Sachez aussi que la brasserie organise une foule d'événements, grâce aux services précieux de Julie Bernatchez, tels des spectacles musicaux, des expositions d'art visuel, de l'impro, des lancements de livres, des rencontres politiques, etc. Bref, on adore l'endroit et on a plus que hâte de découvrir les bières tant classiques que fort créatives de La Souche !

BRASSERIE BERTHILDA VANDOREN

519, chemin Royal, Saint-Pierre, l'Île d'Orléans
418-991-0781 / 581-888-3065
www.breughel.com

Mai à fin octobre : lundi-dimanche, 11 h 30-19 h. L'heure de fermeture peut varier selon l'affluence. Horaire restreint hors saison. Location de salle pour événements spéciaux (aucun frais de location, apportez votre traiteur). Épicerie fine, terrasse avec superbe vue. Lauréat local du Concours québécois en entrepreneuriat 2011.

Mikael Diadhiou et Mathilde Brochu Baekelmans ont ouvert ce charmant établissement en juin 2011 à quelques pas du pont, les yeux rivés sur le fleuve et les chutes Montmorency. Il faut dire que Mathilde suit fièrement la lignée familiale de brasseur et d'entrepreneur, deux éléments dans lesquels elle baigne depuis sa tendre jeunesse. Elle a également suivi un cours en gestion de commerce à Limoilou et compte bien perfectionner ses techniques de brasseur en suivant un cours de brassage et un stage en microbrasserie. Pour l'instant, dans l'attente du permis de brassage industriel, seules les bières Breughel sont disponibles sur place. Dans un avenir rapproché, elle mettra la main à la pâte en brassant sur place les recettes familiales mais également celles de son propre cru avec des ingrédients fort intéressants tels le piment, le gingembre ou encore la mélasse, sans oublier une bière légère à 2 ou 3 % de taux d'alcool.

Sur place, en plus des délices houblonnés, on retrouve une belle sélection de boissons alcoolisées de l'île (Cassis Monna & filles, Vignoble Isle de Bacchus, Cidrerie Verger Bilodeau) ainsi que des grignotines et coupe-faim faits à partir de produits régionaux (hot dog européen, pâté de foie au cognac de la boucherie Jos Rousseau avec confit d'oignon, grelots biologiques du Fou du Cochon, saumon fumé et saumon fumé séché de leur fumoir à Kamouraska, etc.). Un petit coin épicerie fine vous permettra de rapporter à la maison les bonnes saveurs de l'île et sachez que ces produits sont intégrés à la cuisine du Berthilda, question de pouvoir déguster avant l'achat. Bref, une belle nouvelle adresse qui cadre parfaitement avec l'ambiance champêtre de « l'île magique » !

Notre sélection à découvrir : Référez-vous à la section « Bas-Saint-Laurent », rubrique « Chez le brasseur » pour découvrir les bières Breughel.

LA KORRIGANE

380, rue Dorchester, Québec
418-614-0932
www.korrigane.ca

Dimanche & mardi-mercredi, 14 h-minuit ; jeudi-samedi, 14 h-3 h ; lundi, fermé. La cuisine est ouverte du mardi au dimanche de 17 h à 21 h 30. Cour intérieur. Programmation culturelle et musicale à l'année.

La brasserie artisanale La Korrigane, autrefois située à La Baie au Saguenay, a depuis l'été 2010 un nouveau quartier général situé dans le quartier St-Roch à Québec. Fière propriété de Catherine Dionne-Foster, digne « descendante » de son père maître brasseur, Jean Foster, qui collabore avec elle dans ce beau projet depuis les débuts. Le nom de la brasserie est inspiré du voilier qui servit de navire d'exploration et de collecte dans l'océan Pacifique durant les années 1930. Le médaillon qui sert de logo à la jeune entreprise en fait la représentation d'un des objets rapportés lors de cette expédition.

La Korrigane mise sur des bières de qualité brassées selon des méthodes traditionnelles, c'est-à-dire non filtrées, non pasteurisées et exemptes de produits chimiques, d'agents de conservation et d'arômes artificiels. Ce sympathique bistro-brasserie offre aussi des menus légers à prix abordables préparés principalement à partir de produits saisonniers locaux (coup de cœur pour le plateau de charcuteries et la salade de poulet bio grillé !). La mission de l'entreprise comporte un volet culturel (belle programmation d'activités et d'événements) et social visant à faire la promotion de micro-entreprises québécoises. La Korrigane veut promouvoir les entreprises agroalimentaires locales et régionales et plus particulièrement les petits producteurs artisanaux.

Notre sélection à découvrir :

- → ***Boggart***, *Ale brune d'inspiration anglaise, 5 %*
- → ***Cornik***, *Stout à l'avoine, 4.5 %*
- → ***Emily Carter***, *Ale aux bleuets, 5.5 %*
- → ***Kraken***, *Interprétation américaine d'une India Pale Ale anglaise, 6 %*
- → ***Malgven***, *Ale rousse forte de type Old Ale anglaise, 8 %*
- → ***Mary Morgan***, *Bière de blé de type Witbier belge, 5 %*

L'INOX MAÎTRES BRASSEURS

655, Grande Allée Est, Québec
418-692-2877
www.inox.qc.ca
Lundi-dimanche, 12 h-3 h. Spéciaux en semaine. Terrasse.

Fondée à l'automne 1987, la brasserie artisanale L'INOX est le résultat de l'association de trois bièrophiles jusqu'au bout des ongles: Pierre Turgeon, André Jean et Roger Roy. En plus de faire de la recherche sur la bière, le trio est également passionné par l'approche directe auprès du consommateur. Ils s'installent donc dans un vieil entrepôt qu'ils rénovent, au cœur même du Vieux-Port de Québec, un quartier qui a une longue tradition dans le domaine brassicole. Au fil des ans, les brasseurs de l'INOX conservent certaines recettes de bière éprouvées, puis en expérimentent de nouvelles afin d'offrir à leur clientèle, toujours avide de découvertes, des bières aussi surprenantes que différentes.

C'est ainsi que pendant 21 ans, la bière artisanale de l'INOX trôna fièrement dans cette jolie partie de la ville, au plus grand bonheur des amateurs. À la fin 2008, c'est le grand déménagement sur la populaire Grande Allée, dans des locaux plus spacieux et mieux adaptés au brassage de la bière. S'ensuit l'ouverture officielle au printemps 2009 et la popularité de l'INOX n'a rien perdu! Déco stylisée, ambiance fort agréable, bières de spécialité, une cuisine «sur le pouce» avec notamment l'assiette de fromages artisanaux du Québec ou encore le hot dog européen, des expositions d'art visuel et autres événements... On comprendra rapidement pourquoi cette place est si fréquentée.

Cinq bières font partir du menu régulier de l'INOX dont la Scotiche, une brune dense et capiteuse aux effluves chocolatés, et la Trois de Pique, une rousse au goût de malt caramel. Au fil des mois, cinq saisonnières se relayent selon les humeurs et les périodes de l'année: une bière à saveur d'érable au début du printemps, une aromatisée au miel et à la canneberge pour le Carnaval, une noire pour se réchauffer lors de la froide saison... À chaque période sa bière!

Notre sélection à découvrir:

- → ***Montagnaise,*** *Ale spéciale à la chicoutai et au thé du Labrador, 5.5 %*
- → ***Scotiche,*** *Scottish Ale, 5 %*
- → ***Transat,*** *Ale extra-blonde, 5 %*
- → ***Trois de Pique,*** *Ale rousse, 5 %*
- → ***Trouble-Fête,*** *Bière de blé de type Witbier belge, 5 %*
- → ***Viking,*** *Ale spéciale au miel et à la canneberge, 5 %*

LES 3 BRASSEURS

2450, boulevard Laurier, Sainte-Foy (Place St-Foy)
418-914-6515
www.les3brasseurs.ca
Dimanche-mercredi, 11 h 30-minuit ; jeudi, 11 h 30-1 h ; vendredi-samedi, 11 h 30-2 h.
Se référer à la section « Montréal » pour plus d'information.

MICROBRASSERIE DE L'ÎLE D'ORLÉANS & PUB LE MITAN

3887, chemin Royal, Sainte-Famille, Île d'Orléans
418-829-0408 (pub)
418-203-0588 (microbrasserie)
www.microorleans.com
En été : lundi-dimanche, 11 h 30-21 h (ou plus selon l'affluence). Le reste de l'année : communiquez avec eux avant de vous rendre sur place. Aucune visite des installations brassicoles.

L'Île d'Orléans compte parmi les arrêts obligés de la Route des Bières du Québec. Projetée à la base comme ferme brassicole, c'est une microbrasserie qui a finalement vu le jour après plusieurs mois de maturation. La première pinte de bière artisanale a été servie en juin 2006 à leur salon de dégustation, le Pub Le Mitan. Depuis, plusieurs recettes ont été développées par le maître brasseur Jean Lampron. Notez que les bières de la microbrasserie de l'Île d'Orléans sont toutes naturellement brassées avec une eau minérale puisée au cœur de l'île.

À l'aube de la nouvelle décennie, la microbrasserie a changé son image de marque. Les deux propriétaires, désireux de faire connaître les lieux de production et l'histoire de l'île, ont renommé leurs bières en l'hommage de personnages y ayant vécu. Une anecdote amusante figure d'ailleurs sur chaque bouteille. Deux recettes ont également été modifiées : Sœur Marie Barbier (blanche) est désormais conçue en fermentation haute avec des levures belges, et Anne Baillargeon (blonde) est maintenant une ale plutôt qu'une lager. Une dizaine de leurs produits se retrouve en bouteille chez les détaillants spécialisés, dont quatre saisonnières.

Situé dans la charmante résidence centenaire de la famille Prémont, sur les lieux mêmes de la microbrasserie, le Pub Le Mitan propose à ses visiteurs de découvrir les excellentes bières maison, à l'unité ou en palette de dégustation. Côté menu, Le Mitan concocte des plats se mariant très bien à la bière comme l'assiette de saucisses et choucroute, les burgers, le smoked meat ou encore le fish & chips. En été, laissez-vous séduire par la beauté du paysage sur leur magnifique terrasse avec vue sur le fleuve et la Côte-de-Beaupré.

Notre sélection à découvrir :

- ➔ ***Antoine Pépin-dit-Lachance**, Bière de blé forte et ambrée de type Weizenbock, 8.5 %*
- ➔ ***Éléonore de Grandmaison**, Ale rousse anglaise aux malts torréfiés, 5 %*
- ➔ ***Joseph Bellarmin**, Double India Pale Ale forte houblonnée à froid, 8.5 %*
- ➔ ***Louis Gaborit**, Ale au sirop d'érable de l'île, 9 %*
- ➔ ***Marie Barbier**, Blanche de froment d'inspiration belge, 5 %*
- ➔ ***Monseigneur D'Esgly**, Extra-Stout forte à l'orge torréfié, 7.5 %*

MICROBRASSERIE DES BEAUX PRÉS

9430, boulevard Sainte-Anne (route 138), Sainte-Anne-de-Beaupré
418-702-1128
www.mdbp.ca
Dimanche-mercredi, 12 h-23 h ; jeudi, 12 h-minuit ; vendredi-samedi, 12 h-1 h.
Items à l'effigie de la microbrasserie en vente sur place. Événements spéciaux.
Terrasse (la seule en bordure du fleuve sur la Côte-de-Beaupré !).

Bien installée dans les anciens locaux de la fromagerie *Côte de Beaupré*, les yeux rivés sur le fleuve et l'Île d'Orléans, cette nouvelle adresse houblonnée est une première sur la route reliant Québec à Charlevoix. Les deux propriétaires, Luc Boivin et sa conjointe Johanne Guindon, ont flairé la bonne affaire, surtout lorsqu'on tient compte de la proximité du Mont-Ste-Anne et de l'achalandage sur cette route. Luc, passionné de bières depuis une vingtaine d'années et spécialiste en automatisation de métier, a fait ses débuts en tant que responsable de la maintenance chez Les Brasseurs du Nord. Il n'en fallait pas plus pour qu'il ait la piqûre du brassage maison, ce qu'il entreprit en 1998. Quelques années plus tard, soit en 2006, il devient copropriétaire de la microbrasserie Dieu du Ciel !, mais l'envie de « voler de ses propres ailes » allait éventuellement déboucher sur la suite logique des choses : l'ouverture officielle, en décembre 2011, de leur microbrasserie, un projet épaulé par les instances locales et mené à termes grâce au support d'amis créatifs et dévoués.

La jeune entreprise propose à l'ardoise une dizaine de bières maison ainsi que des produits invités des autres microbrasseries québécoises. Des palettes de dégustations de 3 verres sont aussi disponibles, question de découvrir leurs bières dans un format plus raisonnable. Question de ne pas vous laisser sur votre faim, un menu bistro est proposé allant des grignotines aux plats plus consistants (gratin dauphinois, croustillant de canard confit, fougasse provençale…), sans oublier les plateaux du terroir (fromages québécois, terrines) et BBQ sur la terrasse. Définitivement un nouveau port d'attache dans la belle région de Québec !

Notre sélection à découvrir :

→ ***Croix Noire***, *Stout Royal, 6 %*

→ ***Grosse Île***, *Rousse irlandaise, 5,5 %*

→ ***Mestachibo***, *American Pale Ale, 5 %*

→ ***Oie Blanche***, *Hefe Weizen (Ale blanche d'inspiration allemande), 5.2 %*

→ ***St-Joachim***, *Weizenbock, 6.9 %*

→ ***Saint-Pat***, *Cream Ale, 4.8 %*

MICROBRASSERIE LA BARBERIE

310, rue Saint-Roch, Québec
418-522-4373
www.labarberie.com

Lundi-dimanche, 12 h-1 h. Superbe terrasse verdoyante et ambiance chaleureuse. Pour les groupes de 30 personnes et plus, possibilité d'organiser des dégustations de bières et fromages avec animation (lieu à votre choix).

Préalablement brasseurs maison, Mario Alain, Bruno Blais et Todd Picard créent en 1995 ce qui allait devenir une référence québécoise dans les bières artisanales : la coopérative de travail La Barberie. Un premier brassin, une rousse légère et fruitée, est concocté en mai 1997 et quelques mois plus tard, l'ouverture du salon de dégustation adjacent à la brasserie marque le début d'une longue histoire.

La Barberie, qui produisait au départ des bières de haute fermentation en petit volume pour les bars et les restaurants, concocte dorénavant ses recettes en brassins de 2 000 litres. Elle offre également une gamme de bières en bouteille aux amateurs de toute la province (disponibles chez la plupart des détaillants spécialisés), en plus de sa vaste sélection de bières pression proposée en rotation au salon de dégustation. Pour tous les besoins et pour tous les goûts !

Désireux de jouer un rôle dans le développement de l'économie sociale locale, les brasseurs ont développé la Brasse-Camarade, une rousse forte sur lie à 6.5 %, dont un pourcentage des ventes est versé au Fonds d'emprunt Québec pour le financement de projets viables dans la communauté. Ayant elle-même bénéficié d'un programme de soutien financier communautaire, La Barberie est un bel exemple de réussite.

Concernant le salon de dégustation, il permet aux bièrophiles de découvrir une sélection de près d'une soixantaine de bières en rotation, à raison de huit produits à la fois aux pompes en plus du service cask. Si vous voulez goûter à tout, deux formats de carrousel (huit galopins ou huit verres) viendront assouvir votre soif de découverte. L'équipe de service en place se fera d'ailleurs un plaisir de vous orienter dans vos choix en fonction de vos goûts. Et comble de bonheur, on peut se procurer de la bière pression en vrac à rapporter à la maison, dans un pot Masson en consigne ou à conserver en souvenir. Sachez aussi que vous pouvez apporter votre goûter en tout temps. Côté ambiance, on s'y plaît assurément et les événements organisés sont une valeur ajoutée à La Barberie : dégustations de bières et fromages sur réservation et de stouts et chocolats les 3e dimanches du mois, vernissages et expositions d'art visuel, festivités pour la Ste-Barbe (!), défi Têtes Rasées Leucan, etc. En saison estivale, prélassez-vous sur la surprenante terrasse dont les abords sont cultivés par les *Urbainculteurs*, un organisme à but non lucratif voué à la promotion du jardinage et de l'agriculture urbaine.

Notre sélection à découvrir :

- ➔ ***Blonde au Chardonnay,*** *Hybride de bière et de vin brassé à partir de malt blond, de chardonnay et de levure champenoise, 10 %*
- ➔ ***Brasse-Camarade,*** *Ale brune forte aux malts grillés et caramélisés, 6.5 %*
- ➔ ***Cuivrée au thé,*** *Ale cuivrée infusée au thé Earl Grey, 5 %*
- ➔ ***Pale Ale lime et framboise****, Pale Ale aux fruits, 5 %*
- ➔ ***Rousse Bitter,*** *Ale rousse, 4.5 %*
- ➔ ***Stout Imperial,*** *Imperial Stout, 7.5 %*
- ➔ **Petit extra** : La fondue au fromage à la bière blonde de La Barberie préparée par le restaurant La Grolla.

AUBERGISTE, À BOIRE !

BAR SAINTE-ANGÈLE

26, rue Sainte-Angèle, Québec
418-692-2171
Lundi-dimanche, 20 h-3 h. Fermé le dimanche hors saison estivale.
Spectacles musicaux sur place (prédominance jazz).

Traditionnellement fréquenté par une clientèle jeune, ce bar attire aussi les plus de 25 ans. À notre avis, le cadre participe à cet engouement. Des lampes créent une lumière tamisée ; la boiserie, les vitraux antiques, les pierres et les fauteuils aux tons pourpres instaurent une ambiance intime. La maison est spécialisée dans les cocktails (une cinquantaine), les bières importées et de microbrasseries québécoises (plus d'une trentaine). Un bon endroit où terminer la soirée tout en douceur.

CAFÉ AU TEMPS PERDU

867, avenue Myrand, Sainte-Foy
418-681-5601
Ouvert tous les jours dès 10 h. Terrasse.

Au Temps Perdu est un petit bistro très charmant, tout près de l'Université Laval, où se rallient amateurs de cafés et de bières. Qu'elles soient allemandes, belges, autrichiennes, danoises ou québécoises, elles sont en tout environ une centaine à trôner sur la carte de bières. Faire un choix peut vite devenir complexe ici mais, les spéciaux du 4 à 7 en semaine peuvent aider à prendre une décision ! Un menu de type cuisine bistro française est également offert sans compter leurs fameux déjeuners du week-end.

FRITE ALORS !

122, rue Crémazie Ouest, Québec
418-614-5522
www.fritealors.com
Lundi-mercredi & dimanche, 11 h 30-22 h ; jeudi, 11 h 30-23 h ; vendredi-samedi, 11 h 30-minuit. L'horaire peut varier hors saison.

Se référer à la section « Montréal » pour plus d'information.

L'ONCLE ANTOINE

29, rue Saint-Pierre, Québec
418-694-9176
Lundi-dimanche, 11 h-3 h (en été, ouverture à 10 h). Terrasse.

À la tombée du jour, L'Oncle Antoine accueille surtout une clientèle d'habitués constituée des jeunes qui travaillent dans les restaurants du Petit Champlain et des alentours. Pendant l'après-midi, ce sont surtout les touristes qui viennent profiter de la terrasse de ce quartier très prisé. L'intérieur du bar, deux grandes voûtes circulaires, vaut le détour à lui seul. En hiver, le contraste de la chaleur du grand feu de cheminée avec le vent froid donne à ce petit bar une ambiance marine qu'on aime beaucoup. Pour accompagner la soixantaine de bières québécoises et importées disponibles, hot-dogs européens, nachos et autres repas légers sont servis jusqu'en début de soirée.

LA NINKASI DU FAUBOURG

811, rue Saint-Jean, Québec
418-529-8538
www.ninkasi.ca
Lundi-vendredi, 14 h-3 h ; samedi-dimanche, 12 h-3 h. Programmation culturelle et musicale à l'année.

Ninkasi fut la première divinité associée à la bière mais c'est également une excellente adresse pour les bièrophiles de la Vieille Capitale. Située à cinq minutes des fortifications du Vieux-Québec, la Ninkasi mise sur la culture québécoise, ses bières mais aussi sur le plan artistique et événementiel. Au menu, on dénombre près de 50 sortes de bières de microbrasseries québécoises. Des vins et spiritueux fabriqués par des artisans d'ici figurent également sur la carte des alcools. L'hiver, on déguste sa pinte devant un bon match du tricolore diffusé au bar, et l'été, c'est sur la terrasse qu'on s'installe sans se faire prier. À ne pas manquer: Les Lundis Douteux (www.douteux.org).

LE BATEAU DE NUIT

275, rue Saint-Jean, Québec
418-977-2626
www.bateaudenuit.com
Mardi-vendredi, 18 h-3 h ; samedi-lundi, 19 h-3 h. L'horaire pouvant varier, consultez le site Internet ou la page Facebook pour tous les détails. Programmation culturelle et musicale à l'année.

Ouvert depuis juin 2008 et situé en plein cœur du quartier Saint-Jean-Baptiste, ce bar joue la carte de la discrétion : pas d'enseigne ni rien d'évident sauf l'adresse qui nous indique être au bon endroit. Didier, breton d'origine, a créé ce bar à bières qui nous transporte littéralement dans une atmosphère digne des bars portuaires. L'ambiance est simple, conviviale et réussie, à l'image des bistros européens. Depuis l'hiver 2012, c'est Sébastien Hamelin, un passionné de bières ayant œuvré pendant trois ans à la boutique Le Monde des Bières, qui a repris le flambeau en acquérant ce bar à bières mythique. Aux pompes, huit lignes en rotation offrent des bières bien de chez nous provenant de plus d'une vingtaine de microbrasseries, dont des exclusivités que l'on ne retrouvent pas ailleurs à Québec incluant aussi des produits en cask. On y retrouve également une sélection étoffée de bières en importation privée, au grand bonheur des amateurs de houblon ! Sachez finalement que les lieux accueillent plusieurs événements comme des spectacles musicaux, des soirées de dégustations, ou encore les mercred'IPA, par exemple. Vous avez envie d'organiser une soirée thématique ou un événement sur place ? Sébastien est ouvert à toutes vos idées !

PUB EDWARD

824, boulevard Charest Est, Québec
418-523-3674
www.pubedward.com
Lundi-vendredi, 7 h 30-minuit ; samedi-dimanche, 8 h-minuit.

Le Pub Edward vous accueille dans une ambiance typique de pub londonien. La déco y est pour quelque chose, sans nul doute, mais son menu est encore plus évocateur : plus d'une douzaine de spécialités anglaises dont la fameuse patte de porc, servie avec choucroute maison et pommes de terre, un produit vedette depuis l'ouverture du pub en 1990, ou encore le fish'n'chips maison, le boudin frais et son confit ou le mijoté d'agneau et légumes. Un menu plus commun de pub est également offert. Pour accompagner le tout, une sélection de plus de 250 bières pression et en bouteille, dont une grande partie provient d'importation privée. De quoi faire rêver l'amateur ! Si vous hésitez, optez pour la palette de dégustation (4 bières en format 4 onces). Une excellente adresse depuis plus de 20 ans !

PUB SAINT-ALEXANDRE

1087, rue Saint-Jean, Québec
418-694-0015
www.pubstalexandre.com
Lundi-dimanche, 11 h-3 h. Spectacles musicaux en soirée.

Cet authentique pub anglais est un des lieux fort chaleureux de la vieille ville. Les boiseries d'acajou, les vieux miroirs, le foyer et le bar long d'une douzaine de mètres rendent une atmosphère feutrée. Sa carte des alcools fera grand plaisir aux amateurs de bières importées (plus de 250 marques provenant d'une vingtaine de pays) et de scotchs single malt (plus d'une quarantaine). La Belgique fait bonne figure avec superbe sélection en importation privée allant des bières trappistes aux gueuzes, sans négliger pour autant les microbrasseries québécoises. Accompagnez le tout d'une de leurs fameuses saucisses artisanales ou d'une grillade et vous comprendrez vite pourquoi cet endroit est si apprécié.

MARCHANDS DE BONHEUR

DÉPANNEUR DE LA RIVE

4328, rue Saint-Félix, Cap-Rouge
418-653-2783
www.depdelarive.com
Lundi-samedi, 7 h-23 h ; dimanche, 8 h-23 h.

Le Dépanneur de la Rive figure dans le carnet d'adresses des bièrophiles de la province et pour cause : près de 800 bières se retrouvent sur les tablettes de ce commerce, sans compter une des plus belles collections de verres à bières au Québec. Désireux d'être une référence en la matière, le propriétaire, Danny Chabot, offre de nombreux services connexes au monde de la bière : dégustations sur place tous les week-ends, prix spéciaux pour les grosses commandes de bières, ensemble de bières rares pour les dégustations maison au meilleur prix en ville, etc. Si vous n'êtes toujours pas convaincu, une visite sur leur site Internet vous permettra de constater l'ampleur du choix offert.

LE MONDE DES BIÈRES

13, rue Marie-de-l'Incarnation, Québec
418-686-2437
www.lemondedesbieres.com
Lundi-samedi, 9 h-22 h ; dimanche, 10 h-21 h. Café Internet et comptoir-lunch sur place.

En mettant les pieds dans cette boutique, on comprend vite d'où vient son nom ! Des centaines de bières différentes, d'ici ou importées, trônent sur les étalages en attendant d'être dégustées. Pour vous aider dans vos choix, des dégustations sont organisées sur place les vendredis et samedis en fin de journée. Les collectionneurs apprécieront aussi la grande variété de verres à bière, dont plusieurs de collection, les ouvre-bouteilles et les objets promotionnels, sans oublier les ensembles-cadeaux. Une grande référence à Québec ! *Boutiques affiliées : La Fringale au Marché du Vieux-Port (ouvert tous les jours selon l'horaire du marché), et So-Cho Le Saucissier au 825 boulevard Lebourgneuf (lundi-vendredi, 9 h-19 h ; samedi, 9 h-17 h ; dimanche, 12 h-17 h).*

Et aussi :

DÉPANNEUR LA DUCHESSE D'AIGUILLON

601, rue d'Aiguillon, Québec
418-647-2972

ÉPICERIE DE LA RUE COUILLARD

27, rue Couillard, Québec
418-692-3748

ÉPICERIE J.-A. MOISAN

699, rue Saint-Jean, Québec
418-522-0685
www.jamoisan.com

L'ÉPICIER DU PETIT CARTIER

1191, avenue Cartier, Québec
418-522-7524

LA BOÎTE À BIÈRES

2838, chemin Sainte-Foy, Sainte-Foy
418-704-5400
www.laboiteabieres.com

Régions

CHEZ LE BRASSEUR

LE TRÈFLE NOIR

145, rue Principale, Rouyn-Noranda
819-762-6611
www.letreflenoir.com
Lundi-jeudi, 15 h-1 h ; vendredi-samedi, 15 h-3 h. Prix spéciaux entre 16 h et 19 h. Programmation gourmande, culturelle et musicale. Items à l'effigie de la brasserie en vente sur place. Visite des installations brassicoles et dégustation sur réservation (notez que ces installations se trouvent dans un autre bâtiment). Informez-vous sur les ateliers de dégustation et les brassins publics.

Il est originaire du Centre-du-Québec et sa conjointe, de l'Abitibi. Ensemble, Alexandre Groulx et Mireille Bournival partagent un rêve : celui de s'installer en Abitibi et d'y implanter la première brasserie artisanale de la région. Il faut dire qu'Alexandre s'est fait la main en suivant un cours de brassage avec Michel Gauthier à Saint-Hyacinthe, puis fut brasseur chez McAuslan pendant trois ans. À la fin juin 2009, le projet se concrétise et plus d'une centaine de personnes font la file pour l'ouverture officielle. Le grand bonheur nous direz-vous, mais surtout, le début d'une belle aventure !

Sur la trentaine de recettes élaborées par la brasserie, une vingtaine de bières sont en rotation avec une constante d'au moins six à huit aux pompes ainsi qu'une présence régulière de bière en cask. De la blanche belge au stout à l'avoine, il y a en a pour tous les goûts ! Sachez qu'à compter de juillet 2012, on pourra se procurer quatre de leurs produits en format 500 ml dans les commerces spécialisés en bières à travers la province : une rousse bitter, une double belge, une IPA américaine et un stout américain. De plus, dès l'automne 2012, le Trèfle Noir fera chaque saison un brassin spécial d'une bière forte vieillie. On a hâte ! Pour les petits creux, un menu de grignotines, dont plusieurs faits maison, met en valeur les produits des artisans du terroir et accompagnera à merveille votre pinte de délices houblonnés.

Notre sélection à découvrir :

→ **Foublonne**, *India Pale Ale Américaine, 6.5 %*
→ **La Cherno Pivo**, *Imperial Stout vieilli aux copeaux de chêne français, 9.6 %*
→ **La Chronique**, *Irish Red Ale (rousse irlandaise traditionnelle), 4.8 %*
→ **La Klondike**, *Belge dorée, 7.1 %*
→ **La Proposition**, *Hefe Weizen (Ale blanche d'inspiration allemande), 5.1 %*
→ **O'Born Evil**, *Scotch Ale, 8.4 %*

MARCHANDS DE BONHEUR

CHEZ GIBB

25, rue d'Évain, Rouyn-Noranda (secteur Évain)
819-768-2954
www.chezgibb.com
Lundi-vendredi, 6 h-22 h ; samedi, 8 h-22 h ; dimanche, 8 h-22 h. Mets cuisinés sur place et variété de sandwichs, sous-marins, soupes du jour et plus.

Jacques et Laurette Gibson ont ouvert leur commerce en 1986 mais ce n'est qu'en 2004 qu'il est devenu une vitrine des produits de microbrasseries d'ici. Le choix s'étend sous nos yeux à plus de 300 bières québécoises sans oublier les produits connexes tels les verres de dégustation. Les Brasseurs du Temps, Dieu du Ciel !, Pit Caribou, Microbrasserie Charlevoix, Brasseurs sans Gluten, Brasseurs du Monde, Le Naufrageur, Microbrasserie du Lac-Saint-Jean et bien d'autres encore garnissent les étalages. Dès cet été s'ajouteront également les bières du Trèfle Noir de Rouyn-Noranda. Les propriétaires, de véritables passionnés, parcourent la Route des Bières chaque an pour visiter nos brasseurs québécois. C'est donc dire que l'inventaire prendra encore de l'ampleur et gagnera en diversité au fil de ces rencontres.

CHEZ LE BRASSEUR

LE BIEN, LE MALT

141, avenue Belzile, Rimouski
418-723-1339
www.lebienlemalt.com

Dimanche-mercredi, 15 h-23 h ; jeudi-samedi, 15 h-1 h. Horaire extensible l'été en fonction de l'achalandage. Items à l'effigie de la brasserie en vente sur place. Plusieurs forfaits disponibles pour les groupes, spéciaux pour les étudiants. Terrasse, Internet sans fil. Programmation culturelle et musicale à l'année.

Née du plaisir brassicole et du désir de partager son goût pour les produits québécois, la brasserie artisanale Le Bien, le Malt a ouvert ses portes en 2008 à deux pas du fleuve. Des bières d'inspiration anglaise y sont brassées à partir d'un maximum d'ingrédients québécois. L'entreprise, s'est vue décernée de belles reconnaissances telles le Prix Entreprise de tourisme au Gala reconnaissance 2011 de la Chambre de commerce de Rimouski-Neigette, ainsi que Lauréat régional dans la catégorie Agrotourisme et produits régionaux à la finale régionale des Grands Prix du tourisme québécois 2012.

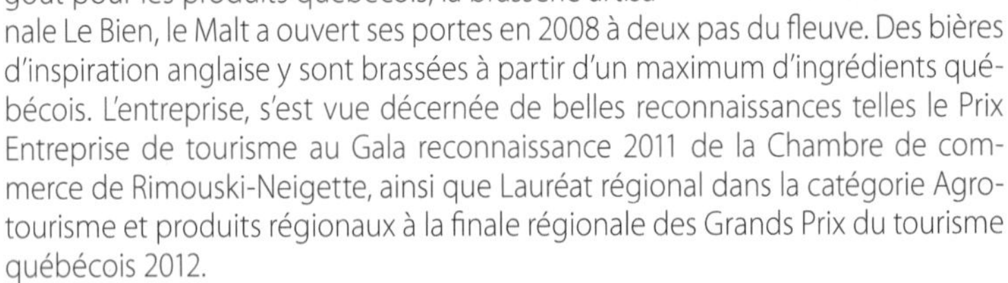

Six bières régulières figurent à l'ardoise, dont la savoureuse Noctambule, un stout aux arômes de café, ainsi que quelques bières invitées. Des produits uniques sont également de passage selon l'humeur du brasseur, Denis Thibault. Pour les indécis, optez pour un plateau de dégustation (6 verres de 5 onces), à accompagner d'une de leurs assiettes gourmandes composées de fromages, charcuteries et poissons, le tout complété par une carte d'alcools et spiritueux mettant à l'honneur les produits locaux.

Afin de vous initier au merveilleux monde de la bière, mais également au terroir gourmand, différents forfaits sont offerts aux groupes d'au moins 12 personnes : dégustation de bières ou de produits régionaux (accords disponibles), choix de bouchées, animation (comprend la visite des installations et les dégustations)... Les demandes spéciales sont également les bienvenues ! Prévoyez de réserver une semaine à l'avance.

Notre sélection à découvrir :

- → ***La Gamine***, *Ale blonde, 4.9 %*
- → ***La Grande Barbue***, *Pale Ale brassée avec une levure English Ale, 5 %*
- → ***La Noctambule***, *Stout, 4.2 %*
- → ***La Numéro 8***, *India Pale Ale, 5.8 %*
- → ***La P'tit-Jean***, *Brune Anglaise, 4.5 %*
- → ***La Toussaint-Cartier***, *Hefe Weizen (Ale blanche d'inspiration allemande), 4.4 %*

MICROBRASSERIE AUX FOUS BRASSANT

262, rue Lafontaine, Rivière-du-Loup
418-605-1644
www.auxfousbrassant.com
En été : dimanche-mardi, 13 h-23 h ; mercredi-samedi, 13 h-1 h. Le reste de l'année : lundi-mardi, fermé ; mercredi & dimanche, 15 h-23 h ; jeudi-samedi, 15 h-1 h. Horaire sujet à changement. Visite des installations brassicoles et dégustation sur réservation. Items à l'effigie de la brasserie en vente sur place (verres, pintes, t-shirts). Terrasse.

Un nom inspirant pour ce dernier-né du domaine brassicole dans le Bas-du-Fleuve. Cette nouvelle adresse de la Route des Bières de l'Est-du-Québec est un projet bien mûri de deux comparses fous de la bière, Éric Viens et Frédéric Labrie. Brasseurs maison de cœur et de passion, leur premier brassin, une Pale Ale, remporta un franc succès auprès des amis et connaissances. Les brassins et bons commentaires se succédant sans temps mort, il n'en fallait pas plus pour que l'idée d'avoir leur propre microbrasserie fasse son petit bout de chemin. Alors que le projet débute à l'hiver 2010, Éric désire perfectionner ses techniques. S'en suivent un cours au réputé Laboratoires Maska de Saint-Hyacinthe, un stage à la Microbrasserie Le Naufrageur de Carleton et un brassin à Le Bien, le Malt de Rimouski. Le 3 mars 2012, c'est l'aboutissement d'un rêve, fruit de nombreux efforts et de patience : Aux Fous Brassant ouvre officiellement ses portes avec une capacité de brassage d'environ 880 hectolitres par an.

Au moment d'écrire ces lignes, le permis se faisait encore attendre, ce qui sera chose du passé au courant de l'été 2012. La microbrasserie prévoit tenir six Ales régulières, une saisonnière qui s'inspirera des saisons et des récoltes (bière de Noël, Imperial Stout, bière à la citrouille…), et une ligne réservée à une bière invitée. Les ingrédients québécois sont ici de mise, dans la mesure du possible, comme les grains bio maltés et les houblons. L'embouteillage fait partie des projets à très court terme mais en misant d'abord sur les bières pour emporter avant de se lancer dans la distribution à plus grande échelle.

Sur place, question de vous rassasier et de vous tenir occupé, une ardoise de coupe-faim et de grignotines comprend, entre autres, des bruschettas maison, des nachos, des charcuteries et fromages de la région. Des expositions d'œuvres d'artistes du coin, des spectacles et de projections sont également au menu. À découvrir sans hésitation lors de votre passage dans cette magnifique région !

Notre sélection à découvrir :

➔ *Les six produits réguliers seront une blonde (4.7 %), une rousse (4.7 %), une bière de blé de type Witbier belge (4.5 %), une Scotch Ale (8 %), un Stout (5 %) et une India Pale Ale (environ 5 ou 6 %).*

MICROBRASSERIE BREUGHEL

68, Route 132, Saint-Germain de Kamouraska
418-492-3693
www.breughel.com

Ouvert tous les jours de Pâques à l'Action de Grâces, 10 h-19 h. En dehors de cette période, sur réservation pour une visite des installations et l'accès au salon de dégustation. Terrasse, jeux de société, grand domaine pour la promenade.

Située dans un décor enchanteur du Bas-du-Fleuve, la microbrasserie Breughel est la création du belge Bruno Baekelmans. Celui-ci possédait une brasserie à Dakar au Sénégal avant de rencontrer la femme qui le fit s'installer à Saint-Germain de Kamouraska, Marie Brochu. Les bières sont brassées selon la tradition des brasseries artisanales belges et les ingrédients sont soigneusement choisis : orge, blé, levures de haute fermentation, sucres et houblons fins. Il en résulte des bières naturelles non-filtrées, aux arômes riches et puissants, à grande valeur nutritive. Récemment, Breughel a participé au programme qualité offert par l'AMBQ[1] en partenariat avec le MAPAQ[2] afin d'améliorer la régularité et la qualité de leurs bières.

Breughel offre une dizaine de produits en bouteilles, disponibles de la Gaspésie à l'Outaouais. Il est également possible de les déguster sur place, en plus de pouvoir dénicher de délicieuses trouvailles houblonnées seulement offertes à la microbrasserie.

Le salon de dégustation de la microbrasserie offre toute sa gamme de produits embouteillés en plus de quelques éditions seulement disponibles sur place : Blanche de Berlin, Duchesse de Kamouraska (blanche), Bière de vigne blanche ou rouge, Kriek, c'est selon l'humeur du brasseur. Pour ceux qui hésitent ou ceux qui veulent goûter à tout, les « Palettes du Peintre Breughel » contiennent chacune cinq verres de dégustation. Il est possible d'acheter les bières qui nous ont séduites pour les ramener à la maison et les faire découvrir aux amis. Pour les petits creux, il est suggéré d'apporter son lunch. Sinon, pain maison et petits en-cas sont proposés. En effet, la formule utilisée ici est celle du « Biergarten », véritable institution notamment en Bavière en Allemagne. Vous apportez donc votre propre nourriture que vous accompagnez d'une bière de la brasserie, le tout dans un environnement fleuri et verdoyant.

Notre sélection à découvrir :

→ **Boswell,** *Bière d'abbaye brune forte, 7.5 %*

→ **Kamour,** *Blanche légère aromatisée avec coriandre et curaçao, 4.5 %*

→ **Kamour Double**, *Blanche forte aromatisée avec coriandre et curaçao, 7 %*

→ **St-Bruno**, *Bière d'abbaye rousse légère, 4 %*

→ **St-Pacôme de Kamouraska**, *Blanche refermentée avec des framboises fraîches, 5 %*

→ **Ste-Mathilde**, *Bière d'abbaye blonde forte, 7.5 %*

---

1. Association des microbrasseries du Québec : www.ambq.ca

2. Ministère de l'Agriculture, des Pêcheries et de l'Alimentation du Québec : www.mapaq.gouv.qc.ca

AUBERGISTE, À BOIRE !

RESTO PUB L'ESTAMINET

299, rue Lafontaine, Rivière-du-Loup
418-867-4517
www.restopubestaminet.com
Lundi-mercredi, 7 h-minuit ; jeudi-vendredi, 7 h-1 h ; samedi, 8 h-1 h ; dimanche, 8 h-minuit.

Le terme estaminet, surtout employé en Europe, signifie « petit café » ou « modeste débit de boissons ». Dans le Bas-Saint-Laurent, on retrouve cette même ambiance intime et chaleureuse dans ce petit bistro. Steaks, sautés Thaï, paninis, pizzas… le tout couronné de porto et fromages, d'une gaufre fruitée ou d'un café flambé, le menu nous met définitivement l'eau à la bouche. Côté houblon, le choix s'étend à plus de 150 bières ! À déguster lors des spéciaux du « super 4 à 7 » et pourquoi pas, avec leurs délicieuses moules à volonté. Ils servent également des petits-déjeuners gargantuesques tous les jours jusqu'à 11 h, 15 h le week-end.

MARCHANDS DE BONHEUR

DÉPANNEUR JESSOP

365, boulevard Jessop, Rimouski
418-724-6212
Lundi-dimanche, 7 h-23 h.

Au Dépanneur Jessop, la bière de microbrasserie québécoise est à l'honneur. À l'unité, en caisses ou en paquets-cadeaux, avec ou sans verres de dégustation, les bièrophiles y trouveront assurément leur bonheur. La sélection de bières importées est aussi bien diversifiée alors chers amateurs, retenez cette adresse si vous êtes de passage dans la région !

Et aussi :

MÉTRO LEBEL

615, 1ère Rue, La Pocatière
418-856-3827

CHEZ LE BRASSEUR

BOQUÉBIÈRE MICROBRASSERIE DE SHERBROOKE

50, rue Wellington Nord, Sherbrooke
819-542-1311
www.boquebiere.com
Lundi-mercredi, 15 h 30-fermeture ; jeudi-samedi, 15 h 30-3 h ; dimanche, 19 h-fermeture (septembre à fin mai – fermé le dimanche en saison estivale). Visite guidée des installations brassicoles et dégustation sur réservation. Programmation culturelle et musicale. Salle multifonctionnelle avec écran géant disponible pour location.

Située en plein cœur du centre-ville de Sherbrooke et lauréate régionale du 10e Concours québécois en entreprenariat, cette microbrasserie abreuve fidèles et curieux de passage depuis 2008. Son objectif principal est d'offrir une expérience authentique aux amateurs de houblon en brassant des bières alliant le savoir-faire traditionnel et les produits régionaux des Cantons-de-l'Est. Bien ancré dans sa région, Boquébière contribue au développement et au rayonnement culturel local grâce à des partenariats bien établis avec plusieurs entreprises des Cantons. En résulte des bières distinctives, de grande qualité, avec une bonne touche d'originalité qui surprendra certainement vos papilles.

Boquébière embouteille dorénavant plusieurs de ses produits, disponibles chez les détaillants spécialisés à Montréal et Québec, ainsi qu'à différents lieux en région. On les retrouve également en fût à quelques endroits dans la province : n'hésitez donc pas à les demander dans votre «quartier général» préféré ! Pour découvrir l'ensemble de leurs délices houblonnés, nous vous suggérons d'aller faire un tour à la microbrasserie, l'endroit parfait pour un 5 à 7 ou un repas entre amis. Elle arbore un look contemporain aux accents rustiques empruntés au monde de l'antiquaire ; la bière, brassée avec amour et patience, est délicieuse ; et le menu bistro est composé de produits locaux. Aux pompes, une dizaine de bières originales, brassées avec des produits du terroir, sont disponibles en tout temps dont des saisonnières et des cuvées spéciales. IPA, Ambrée d'épeautre, Rousse de seigle ou encore Porter fumé à l'érable sont autant de petits délices à découvrir sur place. Pour compléter le tout, chaque soir apporte son lot d'événements allant des Lundis Douteux (www.douteux.org) aux spectacles présentés en collaboration avec le Théâtre Granada, les samedis soirs, en passant par les dimanches de la ligue d'improvisation l'Abordage.

Notre sélection à découvrir :

- **Acero**, *Bière liquoreuse brassée avec du sirop d'érable de Compton, 16.5 %*
- **Barnstown Ale aux pommes**, *Blonde forte sur lie faite à partir de jus de pomme brut de Compton, 7 %*
- **Hildegard Ambrée d'épeautre**, *Ale ambrée sur lie faite d'épeautre bio de Compton, 5.5 %*
- **Hildegard I.P.A. Belge**, *Ale blonde extra-forte sur lie, 9 %*
- **Hildegard Rouge des Cantons**, *Ale rousse forte sur lie vieillie en fût de chêne ayant contenu du vin rouge de Compton ou autre vignobles du terroir, 7 % (récipiendaire Or au concours MBière 2012)*
- **Hopkins Porter fumé**, *Ale forte noire sur lie faite de malt fumé à l'érable à la brasserie même, 6.5 %*

BRASSERIE DUNHAM

3809, rue Principale, local 104, Dunham
450-295-1500
www.brasseriedunham.com
En été : mercredi, 16 h-minuit ; jeudi-samedi, 12 h-minuit ; dimanche, 12 h-21 h. Le reste de l'année : jeudi-samedi, 16 h-minuit ; dimanche, 12 h-18 h. Programmation culturelle et musicale à l'année.

Située en plein cœur de ce charmant village, sur la Route des vins, la brasserie Dunham a vu le jour en mars 2010, alors que la microbrasserie Brasseurs & Frères fut rachetée par trois acteurs de la scène brassicole québécoise : Sébastien Gagnon (aussi propriétaire du bar à bières Vices & Versa à Montréal), Hugues Dumontier et Jocelyn Bérubé (ces deux derniers ont depuis quitté l'équipe afin d'aller relever d'autres défis). Patrick Roy, secondé par Éloi Deit du Cheval Blanc, est désormais le maître brasseur de la Brasserie Dunham.

La microbrasserie encourage fortement l'économie locale en impliquant les artistes du coin aux projets de l'entreprise : design intérieur du salon de dégustation, design des étiquettes de bières, spectacles, vernissages et expositions d'art visuel, etc. Une belle façon de promouvoir le rayonnement culturel de la région !

Côté houblon, une vingtaine de bières sont concoctées avec amour et passion, dont plusieurs saisonnières, et elles sont offertes dans de nombreux points de vente au Québec. Elles peuvent également être dégustées sur place au pub attenant à la brasserie qui permet aux bièrophiles de découvrir les produits maison dans un cadre champêtre. Au moins une dizaine de bières figurent à l'ardoise, telles la Pale Ale Américaine, brassée avec des houblons américains, ou la Wit, une blanche de blé de type belge. De l'IPA Anglaise au Stout Imperial Russe à l'érable (*médaille d'or au Canadian Brewing Awards 2012*), vos papilles seront comblées ! Une magnifique terrasse, située dans une cour intérieure, peut accueillir jusqu'à 60 personnes lors de la belle saison. Le pub est aussi devenu une vitrine de la culture locale en proposant vernissages et expositions d'art visuel, spectacles musicaux et bien plus encore.

Il est possible de visiter les installations brassicoles, le tout accompagné d'une dégustation des bières de la Brasserie Dunham pour le coût modique de 5 $ par personne. Notez qu'il faut constituer un groupe d'au moins dix personnes et réserver à l'avance.

Notre sélection à découvrir :

→ ***Ale Blonde**, Ale blonde, 5 %*

→ ***Black IPA**, Ale rubis-noire d'inspiration américaine faite de houblons américains Centennial et Chinook et de malts anglais Marris Otter et Crystal, 5.7 % (médaille d'argent au Canadian Brewing Awards 2012)*

→ ***IPA Anglaise**, India Pale Ale brassée dans la tradition britannique, 5 %*

→ ***IPA Belge**, fusion entre une India Pale Ale américaine et une Ale belge, 6.5 %*

→ ***Pale Ale Américaine**, Pale Ale américaine aux délicats arômes de houblon, 6.5 %*

→ ***Wit - Blanche Belge**, Bière de blé de type Witbier belge, 5 %*

BROUEMONT

107, boulevard Bromont, Bromont
450-534-0001
www.brouemont.com
Dimanche-mercredi, 11 h 30-23 h (la cuisine ferme à 21 h) ; jeudi-samedi, 11 h 30-minuit (la cuisine ferme à 21 h 30).

Patrick Dunningan a grandi dans le milieu de l'hôtellerie et de la restauration. Son intérêt pour la divine mousse l'a amené à rencontrer les propriétaires de la microbrasserie La Diable à Mont-Tremblant et ceux de l'Inox à Québec. Les précieux conseils et coups de main auront contribué à l'apparition d'une nouvelle adresse sur la Route des Bières du Québec. Patrick et sa conjointe, Diane Moreau, ont d'abord ouvert le Tabby's à Bedford qui fut entièrement ravagé par un incendie en 2002. L'entreprise renaît alors sous le nom de Brouemont, dans ses nouveaux locaux à Bromont, et verse sa première pinte de bière le 25 mars 2004.

Ici, chacun a son rôle ! Patrick, le maître-brasseur, s'occupe de la dizaine de bières figurant au menu : la blonde framboise et miel, la IPA, la Scotch Ale, la Nutty Brown… Diane gère le restaurant réputé pour ses steaks, sandwichs et burgers, le tout dans un décor chaleureux avec deux foyers et une mezzanine. En saison estivale, profitez de l'accueillante terrasse de 80 places, enveloppée de vignes, de feuillus et de cèdres.

Notre sélection à découvrir :

→ ***Framboise et miel,*** *Ale blonde aux fruits, 5 %*
→ ***Imperial I.P.A,*** *Imperial IPA, 7.5 %*
→ ***Nutty Brown,*** *Ale brune, 5 %*
→ ***Russian Imperial Stout,*** *Imperial Stout, 9 %*
→ ***Scotch Ale****, Scotch Ale, 8 %*
→ ***Weizen,*** *Blanche de blé d'inspiration allemande, 4.5 %*

LA MARE AU DIABLE

151, rue King Ouest, Sherbrooke
819-562-1001
Lun-mer, 16 h-2 h ; jeu-ven, 11 h-3 h ; sam, 16 h-3 h ; dim, 18 h-2 h.
Sélection d'une quarantaine de whiskies. Terrasse.

Dans le roman « La mare au diable » de George Sand (1846), la mare représente le lieu mythique où les gens qui s'y rencontrent sentent une force irrésistible les rapprochant les uns des autres. C'est cette ambiance, qui nous rapproche tant de la bière de spécialité que des autres clients de l'endroit, qu'a réussi à créer Christophe Pernin dans la Maison Leblanc, charmante demeure bâtie en 1867 située sur la rue King. L'intérieur est chaleureux, pittoresque, divisé en compartiments, propices aux discussions entre amis et aux soirées où les bières s'enchaînent aux rythmes des éclats de rire. La brasserie artisanale est ouverte depuis juillet 2003 et un arrêt vaut définitivement la peine, question de prendre un bon repas (à base de bière évidemment) agrémenté de leurs bières diaboliques. Prenez note qu'il est possible de visiter la salle de brassage sur réservation.

Notre sélection à découvrir :

- ➔ ***L'Abénaqui**s, Stout à l'avoine, 7.2 %*
- ➔ ***L'Eden**, Blanche belge à la fleur d'oranger, 4.8 %*
- ➔ ***L'Indian Stream**, Impériale Pale Ale, 8.5 %*
- ➔ ***La Rousse des Cantons**, Red Ale, 6.2 %*
- ➔ ***La Saint François**, Pale Ale, 5.6 %*
- ➔ ***La Stouff**, Bière rousse au poivre noire, 8.5 %*

LA MEMPHRÉ

12, rue Merry Sud, Magog
819-843-3405
www.lamic.ca
Lundi-dimanche, 11 h 30-fermeture (selon l'affluence). La cuisine ferme à 22 h. Aucune visite des installations brassicoles.

La Memphré est à votre service depuis 1999. Cette brasserie artisanale est tenue par Todd Pouliot et Jennifer D'Arcy, deux Magogois de souche. Vous tomberez littéralement en amour avec ce resto-pub de type anglais. Aux abords du lac Memphrémagog, le tout prend forme dans une maison ancestrale datant des années 1850. Vous pourrez profiter de l'ambiance festive dans un décor à la fois contemporain et rustique, d'une musique lounge et d'une grande terrasse extérieure avec une magnifique vue sur le lac. La Memphré vous offre un menu très varié qui convient à tous les budgets : fondues suisses, burgers gourmands, grillades, paninis, salades repas et bien d'autres délices vous y attendent ! De plus, vous y retrouverez une variété d'une vingtaine de bières, dont près d'une dizaine brassées sur place. Fabriquées en petites quantités, les bières de La Memphré sont brassées avec des ingrédients 100 % naturels. Non filtrées, non pasteurisées et refermentées en fût, elles offrent une riche palette de saveurs, d'arômes et de couleurs aux amateurs de malt et de houblon. Bonne dégustation !

Notre sélection à découvrir :

- ➔ ***Ganesha**, India Pale Ale fait de houblons de l'Oregon, 5.5 %*
- ➔ ***Kilt**, Scotch Ale, 7 %*
- ➔ ***La Blonde du Boss**, Ale blonde fait de malt québécois et anglais et de houblons tchèques et américains, 5 %*
- ➔ ***La Numéro 8**, Stout à l'avoine et au lait, 5.5 %*
- ➔ ***Lune de Miel**, Bière de blé au miel et à l'avoine de type Witbier belge, 4.5 %*
- ➔ ***Red Light**, Amsterdam Alt Rousse fait de malt anglais et de houblons continentaux, 5.5 %*

LES BRASSEURS DU HAMEAU

6, rue des Bois-Verts, Ham-Sud
819-877-2201
www.lesbrasseursduhameau.ca

Cette « nanobrasserie » née en 2006 mérite son surnom : c'est une des plus petites brasseries au Canada. Ce qui caractérise cette entreprise artisanale réside dans le procédé de fabrication de la bière : la brasserie à étages. Cette ancienne technique fonctionne par gravité en mettant à contribution les quatre étages de la fabrique du village de Ham-Sud. La fermentation se fait sous verre dans des dames-jeannes de 50 litres.

Son maître brasseur, Normand Vigneault, œuvre dans le domaine de la bière depuis une vingtaine d'années et sa passion l'a amené à développer une méthode de brassage artisanale tout à fait originale. La microbrasserie offre une gamme variée de bières, toutes sur lie, et disponibles chez les détaillants spécialisés ou sur place en semaine.

Notre sélection à découvrir :

→ ***Chocolate Southam**, Bière brune au miel cru avec un léger goût de chocolat, 6.5 %*

→ ***Déesse**, Bière blonde au miel cru, 5 %*

→ ***Jean-Talon**, India Pale Ale, 6.5 %*

→ ***Ramdham**, Bière noire au zest d'oranges fraîches et biologiques, 6 %*

→ ***Rouspéteuse**, Bière rousse au léger goût de cannelle, 7.5 %*

→ ***Zeppelin Framboise**, Bière noire aux framboises fraîches et biologiques, 9 %*

MICROBRASSERIE LE GRIMOIRE

223, rue Principale, Granby
450-372-7079
www.brasseriegrimoire.com

Lundi-vendredi, 11 h-fermeture ; samedi-dimanche, 15 h-fermeture. Visite des installations brassicoles et dégustation sur réservation. Service de location de système à fût. Verres à l'effigie du Grimoire en vente sur place. Programmation d'événements et de spectacles à l'année.

Passionnés du houblon, Sébastien et Steve Dancause, Mario Lapointe et Michel Thibodeau ouvrent en 2004 la microbrasserie Le Grimoire, en plein centre-ville de Granby. Ils ont su allier brasserie à resto-pub, ce qui permet à la clientèle de découvrir leurs produits brassicoles tant sur place qu'à la maison.

Côté houblon, près d'une quinzaine de bières dont la fameuse Vie de Château qui a remporté la médaille d'argent du choix du public lors du Mondial de la Bière 2012. Ainsi il offre d'autres délicieuses bières comme la Noire Sœur, un Stout au goût chocolaté gagnant du même prix en 2007, et l'Infernale, une bière forte de type belge, qui réjouissent les papilles des bièrophiles. Pour les petits creux, différentes spécialités sont offertes telles les saucisses vaudoises à la bière, les paninis, les burgers et pizzas gourmets, les moules à la Noire Sœur (bière noire), avec un menu du jour en semaine.

On peut se procurer les bières du Grimoire chez plus de 450 détaillants à travers la province. Pour une pleine dégustation, des « Mix Pacte » proposent un mélange de trois produits : La Vitale, La Grimousse et La Noire Sœur. Le Grimoire brasse également des bières pour des hôtels, restaurants et bars dont la Vie de Château, une bière au rhum brassée initialement pour le Château Bromont, que l'on peut dorénavant découvrir en bouteille chez nos détaillants. Dans le but de faire découvrir leurs produits, le Grimoire s'est lancé dans l'aventure de l'exportation depuis 2012.

Notre sélection à découvrir :

- → ***Desérables***, *Ale rousse à l'érable, 7 %*
- → ***L'Ivrest,*** *Ale blanche, 5 %*
- → ***La Malt-Aimée***, *India Pale Ale, 7 %*
- → ***La Vie de Château***, *Ale ambrée au rhum brun, 7 %*
- → ***La Vitale***, *Ale blonde, 5 %*
- → ***Noire Sœur,*** *Sweet Stout, 5 %*

PUB ET BRASSERIE LE LION D'OR / GOLDEN LION

2896, rue Collège, Lennoxville
Pub : 2902, rue Collège, Lennoxville
819-562-4589
www.lionlennoxville.com

Visite des installations brassicoles et dégustation sur réservation. Items à l'effigie de la microbrasserie en vente sur place. Pour le pub du Lion d'Or : horaire variable selon la saison. Le café-terrasse est fermé en hiver.

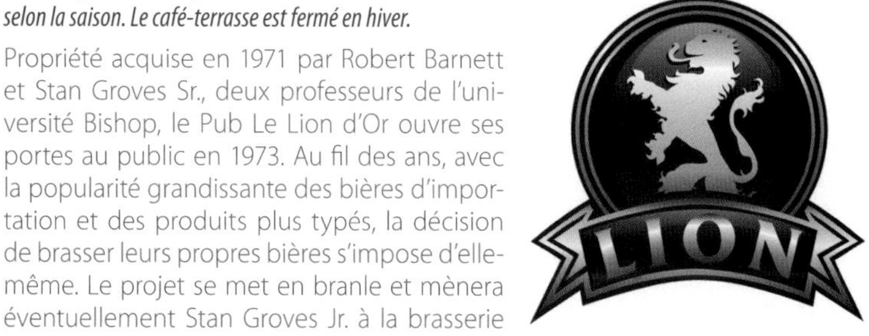

Propriété acquise en 1971 par Robert Barnett et Stan Groves Sr., deux professeurs de l'université Bishop, le Pub Le Lion d'Or ouvre ses portes au public en 1973. Au fil des ans, avec la popularité grandissante des bières d'importation et des produits plus typés, la décision de brasser leurs propres bières s'impose d'elle-même. Le projet se met en branle et mènera éventuellement Stan Groves Jr. à la brasserie Ringwood en Angleterre où il étudiera avec le réputé Peter Austin. En 1986 naît alors la microbrasserie Le Lion d'Or afin de produire sur place les bières maison qui font la réputation de l'établissement. C'est en effet la plus ancienne microbrasserie au Québec toujours en opération et elle trône encore au même endroit, abreuvant ses fidèles habitués et les bièrophiles de passage au pub. Ses ales sont brassées seulement avec les meilleurs ingrédients combinés à l'eau de source naturelle de Lennoxville. Propriété d'un homme pour qui la joie de vivre l'emporte sur les profits records, la microbrasserie fournit principalement en bières sa région immédiate, mais également quelques détaillants spécialisés à travers la province.

Toutes les bières brassées par Le Lion d'Or figurent au menu du pub et se font volontiers les complices idéales de leur excellent fish'n'chips ou de leur gargantuesque burger. Côté ambiance, tables de billard et babyfoot, écrans géants, DJ's et groupes « live » le week-end, spéciaux, événements et partys tout au long de l'année. Lors de la belle saison, profitez du charme du café-terrasse qui peut accueillir une quarantaine de personnes. Prenez note qu'il est possible de réserver les lieux pour un événement privé.

Notre sélection à découvrir :

- → ***Ambrée d'Amour***, *Ale ambrée, 4.8 %*
- → ***Bishop's Best Bitter***, *Ale de style Bitter, 4.8 %*

➔ ***Blueberry Watermelon Wheat**, Bière de blé aux bleuets et melon d'eau, 4.8 %*

➔ ***Irish Stout**, Stout, 4.8 %*

➔ ***La Blonde des Cantons**, Ale blonde, 4.8 %*

➔ ***Lion's Pride**, Ale brune, 4.8 %*

SIBOIRE

80, rue du Dépôt, Sherbrooke
819-565-3636
www.siboire.ca

Ouvert tous les jours de 12 h à 3 h. Terrasse. Visite des installations brassicoles et dégustation sur réservation. Café Siboire adjacent à la brasserie (ouvert tous les jours de 8 h à 3 h).

Logée dans un édifice plus que centenaire qui fut autrefois la gare ferroviaire, cette brasserie artisanale a vu le jour en novembre 2007 grâce aux efforts de Carl Grenier, Pierre-Olivier Boily et Jonathan Gaudreault, ces deux derniers étant des amis de longue date, passionnés du brassage maison. Colocataires, ils avaient aménagé leur sous-sol pour la cause. Dorénavant, leurs recettes sont à la portée de tous, brassées sous nos yeux, dans un établissement au look industriel et contemporain pouvant accueillir plus de 100 personnes. Plus d'une dizaine de bières maison figurent au menu, allant des régulières aux saisonnières, sans oublier les choix du brasseur. Pour accompagner votre pinte, des repas de type bistro sont servis jusqu'à tard en soirée : grignotines, sandwichs, pizzas, smoked meat, assiettes du terroir, etc. On peut également accéder à Internet sans fil sur place et ce, tout à fait gratuitement.

Comme dit un des nombreux slogans de la brasserie : « Si boire est un vice, cale verre en est un autre ! »

Notre sélection à découvrir :

➔ ***Blue Alé**, Ale aux bleuets naturels du Lac Saint-Jean, 4 %*

SHERBROUE

« Brassons notre génie. » Une devise qui en dit long et qui représente bien ce groupe technique de la Faculté de génie de l'Université de Sherbrooke fondé en 1998. Agissant comme groupe multidisciplinaire au cœur de la faculté, SherBroue a pour but de favoriser l'avancement de la recherche brassicole en milieu universitaire. Il permet de mettre en pratique et d'approfondir les connaissances dans les domaines du génie chimique, biotechnologique, mécanique, informatique et électrique. Le groupe supporte, entre autres, l'innovation et le développement de nouvelles méthodes, ainsi que l'amélioration du matériel de brassage amateur et industriel.

Plusieurs recettes ont été élaborées depuis la création du groupe technique et plus récemment, la première bière grand public de SherBroue, l'Ingénieuse, a fait son apparition. Cette Irish Red Ale, née de l'initiative du maître-brasseur du Siboire, a une grande particularité : par souci académique et afin de découvrir des nouveautés, chaque brassin subira au moins une modification. Pour les étudiants, c'est une belle façon de joindre l'utile à l'agréable ! L'Ingénieuse est disponible uniquement à la brasserie artisanale Siboire. Pour plus d'info : **www.sherbroue.ca** ou **www.siboire.ca**

- → ***Calvaire**, Pale Ale anglaise, 5 %*
- → ***Capricieuse**, Bière de blé d'inspiration américaine avec coriandre, 5 %*
- → ***InsPirAtion**, India Pale Ale aux houblons américains (variables selon l'inspiration du brasseur), 6 %*
- → ***Quaker Stout**, Stout à l'avoine, 5 %*
- → ***Trip d'Automne III**, Triple Belge fière descendante des Trip d'Automne I et II qui furent brassées dans leur sous-sol, 7 %*

AUBERGISTE, À BOIRE !

BIÈRE Ô LOO

5239, rue Foster (route 112), Waterloo
450-734-4004
www.biereoloo.ca
En été : lundi, fermé ; mardi-vendredi, 11 h-3 h ; samedi, 15 h-3 h ; dimanche, 13 h-23 h. Le reste de l'année : dimanche-lundi, fermé ; mardi-samedi, 17 h-3 h. L'heure de fermeture peut varier en fonction de l'affluence. Terrasse. Chansonniers les vendredis et samedis soirs.

Ce petit bar des plus chaleureux a décidemment de quoi séduire les amateurs de houblon. Au menu, une centaine de bières différentes provenant des nos brasseurs québécois ainsi que de Belgique, d'Hollande, de République Tchèque ou encore d'Allemagne, sans oublier une belle sélection de bières trappistes. Avis aux amateurs : la carte comprend également 110 whiskies ainsi que 25 rhums. Pour les ventres creux, des coupes-faim et de bons petits plats viendront apaiser votre estomac : assiette de fromages, ailes de poulet, salade printanière, tortillas pizza, burritos, hamburger au vin, hot dog européen, sandwich au bœuf fumé… Une adresse conviviale et hautement recommandée !

KING HALL

286, rue King Ouest, Sherbrooke
819-822-4360
Lundi-dimanche, 19 h-fermeture (selon l'affluence).

Le King Hall n'a plus besoin de présentation ! Depuis plus d'une vingtaine d'années, étudiants et amateurs de houblon et scotch se donnent rendez-vous dans ce haut lieu de la dégustation et de la découverte. Pierre Parizeau, fier propriétaire de l'endroit, se fait un devoir d'offrir une grande quantité (qui rime ici avec qualité) de bières de microbrasseries québécoises et d'importation. C'est plus de cent produits en bouteille et 24 aux pompes, de quoi vous donner l'embarras du choix. Pour ceux qui recherchent des produits un peu plus corsés, une quarantaine de scotchs figurent au menu du bar. Le King Hall est idéal pour une soirée entre amis après les cours et un incontournable pour les bièrophiles.

MARCHANDS DE BONHEUR

BIÈRES DÉPÔT AU VENT DU NORD

338, rue Belvédère Nord, Sherbrooke
819-569-9534
www.bieresdepot.com
Dimanche-lundi, 10 h-20 h ; mardi-mercredi, 12 h-20 h ; jeudi-samedi, 10 h-23 h. Produits dérivés en vente sur place (verres à bière, sous-verres, t-shirts, etc.). Service de dégustation à domicile ou en entreprise.

Autrefois connu sous le nom « Dépanneur Au Vent du Nord », c'est dorénavant Nicolas Ratthé qui en est le fier propriétaire, reprenant ainsi le flambeau de son prédécesseur, Marcel Sévigny. L'établissement, qui célèbre son 10e anniversaire en 2012, est sans contredit LE grand spécialiste de bières de microbrasserie québécoise dans la région. Près de 400 produits différents, incluant les cidres, trônent sur les étalages et le personnel, de véritables connaisseurs dans le domaine, se feront un plaisir de vous aiguiller dans vos choix pour un service conseil des plus personnalisés. Et comble de bonheur, des dégustations gratuites sont offertes tous les dimanches de 14 h à 18 h et comprennent également de savoureuses bouchées pour accompagner vos découvertes houblonnées. Une adresse à mettre impérativement au carnet de route !

Et aussi :

LA GRANDE RUCHE

25, rue Bryant, Sherbrooke
819-562-9973

LES ORIGINES DU PILSEN PUB DE NORTH HATLEY

Le Pilsen (aussi connu sous le nom de Massawippi) a été, au milieu des années 1980, parmi les premières microbrasseries de la province. Le nom fut attribué en l'honneur de la ville de l'ancienne Tchécoslovaquie, Plzen, qui a donné son nom à la bière Pilsen Urquell. La brasserie déménagea en 1986 et les nouveaux propriétaires du bâtiment gardèrent le nom de ce qui allait devenir un pub-restaurant. En 2006, quatre épicuriens se sont portés acquéreurs du Pilsen afin de perpétuer l'excellence de sa table avec une carte des vins et bières bien étoffée. Pour plus d'information sur le Pilsen Pub : **www.pilsen.ca**

CHEZ LE BRASSEUR

MULTI-BRASSES

1209, rue Saint-Joseph, Tingwick
819-359-3887 / 1 866-359-3887
www.multi-brasses.com
Ouvert au public pendant l'événement La Balade Gourmande des Bois-Francs se tenant à l'automne (www.baladegourmande.ca).

George Mayrand et Kevin Morin brassent de la bière depuis leur adolescence. C'est lors de l'événement « Expo-science » présenté à leur Cégep de Victoriaville en 1998 qu'ils ont pu offrir, pour la première fois, leurs bières à un large public. Ce petit projet étudiant a semé en eux l'envie de se lancer dans l'industrie brassicole et en résulta l'ouverture de Multi-Brasses en 2001. Durant le procédé de brassage, la microbrasserie incorpore en petites quantités de l'eau d'excellente qualité du village de Tingwick et ce, question de garantir la fraîcheur des produits mais également pour offrir un goût plus prononcé tout en réduisant l'amertume de ses bières.

Un peu plus d'une cinquantaine de recettes ont été élaborées à ce jour et au printemps 2012, trois produits sans alcool, une blanche, une blonde et une rousse, ont vu le jour devenant ainsi les premières bières de microbrasserie de ce type sur le marché. Les bières Multi-Brasses sont disponibles dans plusieurs épiceries et dépanneurs spécialisés à travers la province ainsi qu'en fût dans certains établissements de la région.

Notre sélection à découvrir :

→ ***Belle Hélène,*** *Bière aux poires, 8 %*

→ ***Buck Rousse,*** *Ale rousse, 5 %*

→ ***Diablesse,*** *Vin d'orge, 10.5 %*

→ ***Gladiamort,*** *Bière forte de type belge, 9 %*

→ ***La Kingsey,*** *Bière de blé de type Witbier belge, 4.8 %*

→ ***St-Pierre Noire,*** *Stout à l'avoine et au lactose, 5 %*

AUBERGISTE, À BOIRE !

CACTUS RESTO-BAR

139, boulevard des Bois-Francs Sud, Victoriaville
819-758-5311
www.cactusrestobar.com
Dimanche-mercredi, 11 h-minuit (la cuisine ferme à 21 h) ; jeudi-samedi, 11 h-1 h 30 (la cuisine ferme à 23 h).

On vient au Cactus pour savourer une de ses spécialités tex-mex, pour ses soirées et spectacles déjantés ou tout simplement pour déguster une bonne pinte entre amis. Parlant de bières, ce resto-bar est une excellente vitrine des produits de microbrasseries québécoises : McAuslan, Unibroue, Brasseur de Montréal, Dieu du Ciel !, Microbrasserie Charlevoix, Les Frères Houblon, Brasseurs du Monde... En fût, on retrouve la Rickard's, la Belle Gueule, la St-Ambroise, la Blanche de Cheval Blanc, la Heineken et la Molson. De plus, vous pourrez en tout temps découvrir des produits saisonniers de microbrasseries québécoises en rotation. Profitez des spéciaux quotidiens du 4 à 8 où les prix sont réduits sur les bières en fût. Les jeudis soirs sont également synonymes de spéciaux alors que le pichet de Belle Gueule est à 12 $ dès 20 h.

MARCHANDS DE BONHEUR

BIÈRES ET SAVEURS

65, rue Saint-Louis, Victoriaville
819-604-1304
www.bieresetsaveurs.ca
Lundi-mercredi & samedi, 11 h-18 h ; jeudi-vendredi, 11 h-21 h ; dimanche, 11 h-17 h. Service de dégustations sur mesure sur réservation (ex. : bières, fromages, saucisses, rillettes, etc.).

Une boutique qui porte définitivement bien son nom ! Spécialiste des bières de microbrasserie d'ici, la sélection a de quoi séduire tout amateur de délices houblonnés. Profitez également des dégustations offertes à même la boutique (voir site Internet pour les dates et produits vedettes). L'endroit propose de surcroît de savoureux produits du terroir pour un mariage des plus réussis. On retrouve ainsi les denrées de la Jambonnière, de Les P'tits Trésors du Hameau, de la Fromagerie du Presbytère, du Duc de Montrichard, de L'Olivier Del Mondo et de Simon Turcotte Confiturier, pour ne nommer que ceux-ci. Une adresse dont vous ne sortirez pas les mains vides !

CARREFOUR DES BIÈRES

189-A, rue Hériot, Drummondville
819-850-4028
www.carrefourdesbieres.com (lien menant à leur page Facebook)
Lundi, fermé ; mardi-mercredi, 11 h-17 h 30 ; jeudi-vendredi, 11 h-21 h ; samedi, 10 h-17 h 30 ; dimanche, 12 h-17 h. Service de dégustation à domicile et de montage de dégustations clé en main. Paniers-cadeaux sur mesure, verres à bière en vente sur place.

Anciennement propriétaire du dépanneur Le Gourmet, Rénald Lassonde est un grand passionné des bières de microbrasserie. Fervent promoteur des excellents produits de chez nous, il décida de se lancer dans un nouveau commerce dédié entièrement à la bière québécoise et aux produits du terroir. Ainsi naquit le Carrefour des Bières, un incontournable pour tout amateur qui se respecte, ouvert depuis décembre 2011. Au moins une trentaine de microbrasseries y sont représentées avec un choix s'étendant à près de 400 bières : Microbrasserie Charlevoix, Brasseurs du Temps, Le Bilboquet, Dieu du Ciel !, Boquébière, Brasseurs Sans Gluten, etc. Les conseils judicieux de Rénald et son équipe vous aideront à faire un choix parmi cette sélection effarante. Des dégustations sont également offertes à la boutique (voir page Facebook pour les dates). Et question de créer des accords savoureux, on retrouve un bel assortiment de fromages fins, des saucisses, des olives farcies, du chutney à la bière, de la salsa à la bière, et bien plus encore. Une adresse à retenir !

Et aussi :

DÉPANNEUR LE GARDE-MANGER

48, rue Girouard, Victoriaville
819-357-2792

ÉPICERIE LAUZIÈRE

2015, rue Saint-Pierre, Drummondville
819-472-2416
www.epicerielauziere.com

LA MANNE, L'ÉPICERIE SANTÉ

194, rue Notre-Dame Est, Victoriaville
819-758-1211
www.cooplamanne.com

CHEZ LE BRASSEUR

MICROBRASSERIE CHARLEVOIX

6, Paul-René Tremblay, Baie-Saint-Paul
418-435-3877
www.microbrasserie.com

Visite des installations brassicoles sur réservation. Pour plus d'information sur le resto-pub de la microbrasserie, référez-vous à la rubrique « Aubergiste, à boire ! » de cette région.

En 1998, pris d'un élan de passion, Caroline Bandulet et Frédérick Tremblay laissent leurs emplois pour donner vie à leur rêve : ouvrir et maintenir une microbrasserie dans leur région natale, Charlevoix. Le 3 juillet de la même année, la Microbrasserie Charlevoix ouvre ses portes pour produire des bières destinées principalement à la région immédiate. Onze ans plus tard, les installations brassicoles adjacentes au resto-pub de la microbrasserie sont devenues trop petites pour fournir à la demande, et la production déménage alors dans de nouveaux locaux situés à quelques rues de là. Toutefois, les installations brassicoles du resto-pub sont conservées afin d'y brasser des bières exclusives pour ce dernier.

La Microbrasserie Charlevoix est reconnue pour ses gammes de bières « Dominus Vobiscum » et « La Vache Folle ». Les Dominus Vobiscum sont des bières d'inspiration belge composées de malts spéciaux et fermentées avec une levure belge. Elle comprend, entre autres, la Blanche, la Double, la Triple et la Sainte-Réserve Hibernus, une bière d'hiver d'exception. La gamme de La Vache Folle s'offre sous deux recettes : une noire au lactose et une rousse extra special bitter. Plus récemment, une série mono-houblon Vache Folle Double IPA a été créée dans le but avoué de redécouvrir le houblon, et lors du Mondial de la Bière 2012, la toute nouvelle Vache Folle RyePA, une bière de seigle d'inspiration du style IPA, a été lancée en primeur. La microbrasserie brasse également des bières saisonnières, des cuvées spéciales et d'autres exclusives pour certains établissements. Une passion, un gage de qualité !

Notre sélection à découvrir :

- ➔ ***Dominus Vobiscum Blanche**, Blanche Belge (Witbier), 5 % (médaille d'argent au Canadian Brewing Awards 2012)*
- ➔ ***Dominus Vobiscum Double**, Brune extra-forte épicée (Dubbel), 9 % (médaille de bronze au Canadian Brewing Awards 2012)*
- ➔ ***Dominus Vobiscum Brut**, Brut produit selon la « méthode charlevoisienne », 10 %*
- ➔ ***Dominus Vobiscum Sainte-Réserve Lupulus**, Belge extra-forte, 10 %*
- ➔ ***Vache Folle Imperial Milk Stout**, Sweet Stout, 5 %*
- ➔ ***Vache Folle Columbus Double IPA**, Imperial IPA au houblon Columbus, 9 %*

AUBERGISTE, À BOIRE !

LE SAINT-PUB

2, rue Racine, Baie-Saint-Paul
418-240-2332
www.saint-pub.com
Ouvert tous les jours dès 11 h 30. Plats principaux à la carte : moins de 30 $. Table d'hôte et menu bistro aussi disponibles. Terrasse.

En plein cœur de Baie-Saint-Paul, municipalité nichée entre fleuve et montagnes, se trouve le Saint-Pub, l'incontournable restaurant appartenant à la Microbrasserie Charlevoix. Au menu, une cuisine régionale où les produits du terroir sont à l'honneur, notamment ceux de la Route des Saveurs de Charlevoix, ainsi que plusieurs recettes à la bière : salade au canard fumé maison et pommes, moules à la bière Dominus Vobiscum, saucisse au veau Charlevoix tomates et basilic avec sauce à la bière, noix de cerf rouge avec sauce aux bleuets, croque Migneron… Pour accompagner le tout, la maison propose une belle sélection de bière locale de qualité, brassée avec amour et patience, dont des saisonnières qui font leur apparition selon l'humeur des brasseurs. Malgré le déménagement de la microbrasserie, les installations du Saint-Pub sont encore utilisées pour le brassage sur place de bières exclusives au resto-pub. Un lieu à découvrir pour une bonne boustifaille dans le cadre champêtre de cette magnifique région.

CHEZ LE BRASSEUR

CORSAIRE MICROBRASSERIE

5955, rue Saint-Laurent, suite 101, Lévis
418-380-2505
www.corsairemicro.com
Lundi-vendredi, 11 h-3 h ; samedi-dimanche, 12 h-3 h. Torréfaction de café sur place. Visite des installations brassicoles et dégustation sur réservation. Service de location de barils de fût avec kit de service.
**Note importante : vu la croissance de la microbrasserie, les installations brassicoles seront situées ailleurs et le pub envisage également un déménagement en 2013.*

Première microbrasserie de la région, le Corsaire vient tout juste de célébrer son 4e anniversaire à l'aube de l'été 2012. Son histoire remonte au moment où Martin Vaillancourt, au début des années 2000, décida de partir en voyage en Angleterre. C'est dans ce pays qu'il développa sa passion pour la bière, à un point tel qu'il y retourna faire son cours de brassage. Parallèlement, Julie Gagnon, issue du domaine de la restauration et des bars, travaillait à la brasserie artisanale L'Inox depuis 1997 où elle vouait un véritable culte au brassage de la bière, son service et sa dégustation. Martin, qui s'est éventuellement joint à l'équipe de L'Inox, rencontra Julie et lui fit part de son projet de brasserie artisanale. Elle ne tarda pas à devenir son associée et le 11 juin 2008, le Corsaire ouvrait ses pompes au plus grand bonheur des bièrophiles de la région. La demande fut telle qu'au bout d'un an, les propriétaires décidèrent d'embouteiller quatre de leurs produits afin de les faire connaître à plus grande échelle. Avec sa popularité grandissante, d'autres bières ont fait leur apparition sur les tablettes de nos détaillants et c'est tant mieux !

Si vous êtes de la région ou y êtes de passage, un arrêt à cette microbrasserie s'impose ! Vous pourrez en tout temps y savourer une dizaine de bières brassées maison dont des surprises saisonnières qui varient selon les récoltes et l'humeur du brasseur. Pour les amateurs de sensations fortes, une belle sélection de rhums, whiskies, bourbons et absinthes vous est offerte. Un menu midi et à la carte, composé de produits frais locaux, accompagnera à merveille votre pinte de houblon. Et que dire de la programmation culturelle qui comprend des dégustations, des spectacles, des expositions d'œuvres d'artistes locaux et plus encore. Chose certaine, le Corsaire est bien impliqué dans sa communauté et vise à faire rayonner l'économie locale. Longue vie à nos deux acolytes propriétaires !

Notre sélection à découvrir :

- → **Bristol,** *Extra Special Bitter, 5.4 %*
- → **Carcajou,** *Rousse au thé du Labrador et genièvre, 6.8 %*
- → **Davy Jones**, *Stout, 5.1 %*
- → **La Galère**, *English Pale Ale, 4.9 %*
- → **Seeraüber**, *Pilsner (100 % Weyermann Pilsner), 5 %*
- → **Tanaka**, *Blanche de blé non maltée épicée au gingembre frais et à l'écorce d'agrume, 4.8 %*

FRAMPTON BRASSE

430, 5e Rang, Frampton
418-479-5683
www.framptonbrasse.com

En été : jeudi-dimanche, 13 h-18 h. Le reste de l'année : samedi, 13 h-17 h. Visite des installations brassicoles sur réservation et dégustation pendant les heures d'ouverture du salon de dégustation (le reste du temps sur réservation, groupes sur réservation en tout temps). Items à l'effigie de la microbrasserie et bières pour emporter en vente sur place. Entreprise lauréate au Gala des Perséides 2012.

Bien établie sur la terre familiale, la ferme brassicole Frampton Brasse, la 3e à voir le jour dans la province, se spécialise dans les bières de dégustation. À l'origine de ce projet, la passion de leur aîné, Gilbert Poulin, qui a eu un véritable coup de foudre pour les bières de microbrasserie et la fabrication de ce divin nectar. Après quelques périples sur le Vieux Continent et des brassins maison pour développer ses recettes, il ne s'en fallait pas plus pour que ce dernier se lance dans son rêve. S'en suivent deux formations avec le réputé Michel Gauthier ainsi qu'un cours de Maître Brasseur en Allemagne, terre brassicole si inspirante pour Gilbert, d'où il nous revient tout juste avec son diplôme en main.

Propriété de la famille Poulin, la ferme brassicole cultive l'orge et une variété de houblon, en plus d'utiliser l'eau puisée à même la source. La jeune entreprise écologique, ouverte au public depuis mai 2011, mise sur l'authenticité telle que définie par le décret sur la pureté de la bière édicté en 1516 (*Das Deutsche Reinheitsgebot*). Ce qui distingue Frampton Brasse est sans contredit l'usage de technologies vertes dont la géothermie qui utilise la température du sol pour garder constant le degré voulu des cuves de fermentation. Lors de l'empâtage (étape où le malt est mélangé avec l'eau), la petite brasserie se sert de la méthode par décoction et non par infusion, c'est-à-dire que le tout sera bouilli à la manière d'un potage, une méthode largement utilisée en Allemagne, ce qui confère à la bière un caractère unique tout en ayant plus de contrôle sur le brassage.

La ferme brassicole propose pour l'instant quatre bières savoureuses auxquelles s'ajouteront éventuellement des produits saisonniers. Pour les découvrir, et question de prendre un bon bol d'air frais en campagne, un salon de dégustation est à votre disposition. Si vous comptez séjourner dans la région, profitez de leur forfait « Charme et Saveurs » incluant la visite de la microbrasserie, un souper 4 services aux saveurs du terroir à la table du Gourmet de l'érablière, et une nuitée au Gîte La Chanterelle avec petit déjeuner gourmand. Sinon, sachez que l'on retrouve les bières de Frampton Brasse dans plus de 150 points de vente au Québec, que ce soit dans les bars ou chez les détaillants spécialisés.

Notre sélection à découvrir :

→ ***Benedict Arnold***, *India Pale Ale, 6 %*

→ ***Nuit d'Automne***, *Ale brune extra-forte, 10 %*

→ ***Sieur de Léry***, *Pilsener Premium, 5 %*

→ ***St-Édouard***, *Bière rousse de type Pale Ale, 5 %*

UNE DEUXIÈME MICROBRASSERIE EN BEAUCE : LA SOCIÉTÉ MICROBRASSERIE

Ouverte depuis l'automne 2011, la 2e microbrasserie de la région de la Beauce abreuve les bièrophiles assoiffés en plein cœur de la ville de Saint-Georges-de-Beauce. Fière propriété d'Alexandre Jacob et de son père Serge, La Société vise à créer une habitude de consommation de bière artisanale dans ce beau coin de pays. Même si Serge possède une bonne expérience en gestion de commerces, nos deux comparses, inexpérimentés dans le domaine brassicole, ont du faire appel aux services des anciens propriétaires de Brasseurs et Frères à Dunham, les frères Gadoua. Plusieurs bières figurent à l'ardoise dont une IPA, un Stout, une Ale blonde très légère et une Ale rousse. Côté boustifaille, l'endroit mise sur un menu de type gastropub avec des entrées savoureuses (calmars frits, trio de mini burgers…), des pizzas traditionnelles et des pizzas fines, des burgers, des grillades et poissons, etc. Bref, de quoi faire le plein d'énergie ! Une adresse à noter lors de votre prochain passage en Beauce !

11 640, 1ère Avenue, Saint-Georges-de-Beauce
418-226-4646
www.societemicrobrasserie.com

MARCHANDS DE BONHEUR

DÉPANNEUR TOUT PRÈS

97, rue Wolfe, Lévis
418-837-1633
www.depanneurtoutpres.com
Lundi-vendredi, 6 h 15-23 h ; samedi, 7 h-23 h ; dimanche, 8 h-23 h.

Au Dépanneur Tout Près, environ 675 bières différentes trônent sur les étalages, provenant tant de microbrasseries québécoises que d'importation. Si le choix devient ardu, faites appel aux employés, ils en savent long sur le sujet. Des paniers-cadeaux (possibilité d'en faire sur mesure), des verres de dégustation et autres items reliés à la bière viennent compléter le tout. Prenez note que des dégustations de bières ont lieu tous les vendredis et permettent aux bièrophiles de découvrir ces délices houblonnés (hors saison, téléphonez pour connaître les dates).

Et aussi :

ACCOMODATION LE TRIOLET

5243, avenue des Générations, Charny
418-832-4941

COOP LA MAUVE

348, rue Principale, Saint-Vallier
418-884-2888
www.lamauve.com
**Petite sélection car coopérative axée sur les produits du terroir et/ou bio.*

IGA MARCHÉ MALTAIS

3950, boulevard de la Rive-Sud, Lévis
418-833-8822

MARCHÉ COLI-BRIS

22, rue Boulet, Montmagny
418-241-2299

CHEZ LE BRASSEUR

MICROBRASSERIE LA CAPTIVE

140, boulevard Saint-Benoît Ouest, Amqui
418-631-1343
www.lacaptive.ca

Lundi-mercredi, 8 h-23 h ; jeudi-samedi, 8 h-1 h ; dimanche, 10 h-22 h. Cuisine ouverte tous les jours de 11 h à 21 h. Possibilité d'une visite des installations brassicoles avec dégustation sur disponibilité du personnel. Items à l'effigie de la brasserie en vente sur place. Programmation culturelle et musicale à l'année.

La microbrasserie La Captive est située au cœur du secteur touristique d'Amqui, dans un ancien bâtiment municipal ayant abrité le poste de police, la prison, l'hôtel de ville, la caserne de pompier et la bibliothèque municipale. À l'origine du projet, un couple d'épicuriens et gourmands de nature, Davy Boudreault et sa conjointe, Marijo Guimont. S'étant rencontrés à Montréal, le couple décida de faire un retour à la terre en s'installant en Gaspésie. Au fil des années et des projets, le couple démarra la Boulangerie Grains de Folie à Amqui en 2007. Parallèlement, Samuel Barabé, ingénieur en mécanique de formation et passionné de tout ce qui touche au monde du brassage, désirait ouvrir une brasserie artisanale dans la région. S'en suivent des brassins tout grains maison avec Davy pour développer des recettes et le démarrage de ce beau projet qui compte maintenant cinq associés. La boulangerie déménagea dans les mêmes locaux que la brasserie et les pompes servirent leurs premières pintes en juillet 2010.

La Captive mise sur une belle sélection de bières maison, allant de la blanche à la noire, en passant par la Pilsener et la brune d'inspiration anglaise. Les propriétaires désirent, dans un avenir rapproché, faire des brassins de 50 litres à des fins d'expérimentations et de développement. Pour les petits creux, l'ardoise propose des mises en bouche, des salades-repas, des sandwichs gourmands, des burgers décadents, des pizzas fines et des quiches. Les produits locaux y occupent une belle place. Nous vous conseillons d'ailleurs de faire un tour du côté boulangerie pour quelques emplettes. On y trouve aussi une section épicerie fine qui comprend, entre autres, des fromages québécois, des charcuteries, des produits forestiers et du café équitable (**www.grainsdefolie.org**). Bref, les lieux sont fort sympathiques, avec une déco chaleureuse de bois et de briques, et le cachet historique a bien été conservé (pour info, la salle de brassage se trouve « derrière les barreaux »). Il ne reste qu'à vous divertir avec les spectacles musicaux ou d'humour, les soirées de conte, les expositions d'arts visuels et autres événements organisés sur place. Une excellente raison d'aller visiter la vallée de la Matapédia !

Notre sélection à découvrir :

→ ***L'Imposteur***, *Pilsener, 5 %*

→ ***L'Innocente***, *Ale blonde 6 %*

→ ***La Cachotière***, *Ale noire, 5 %*

→ ***La Coupable***, *Ale blanche, 5 %*

→ ***La Pyromane***, *Ale rousse, 5 %*

→ ***La Traître***, *Ale brune d'inspiration anglaise, 8 %*

MICROBRASSERIE LE NAUFRAGEUR

586, boulevard Perron, Carleton-sur-Mer
418-364-5440
www.lenaufrageur.com

En été : lundi-dimanche, 12 h-minuit. Le reste de l'année : dimanche-mardi, fermé ; mercredi-samedi, 15 h-minuit. Visite des installations et dégustation sur réservation. Items à l'effigie de la microbrasserie en vente sur place. Terrasse, micro-marché (produits agroalimentaires et métiers d'art de la région).

Cinq jeunes de la région, d'origine ou d'adoption, ont réussi leur pari. Après des années de rêves et des mois d'efforts, Le Naufrageur a vu le jour à l'été 2008. Pour l'anecdote, le nom de la microbrasserie est tiré d'une légende toute gaspésienne du temps où la Baie des Chaleurs était infestée de corsaires basques et de flibustiers acadiens. Un des plus singuliers fut le « Naufrageur », ainsi surnommé en raison de sa technique de pillage. Privé d'embarcation, il allumait de faux feux de signalisation sur les rives de la baie, forçant ainsi les bateaux à venir s'échouer afin de les piller. Futé n'est-ce pas !

La microbrasserie propose près d'une douzaine de bières régulières, aux noms également remplis d'histoire. Elles sont disponibles sur place et chez les détaillants spécialisés de la province. Si vous êtes de passage dans la région, un arrêt s'impose pour découvrir les éditions spéciales et les petits bijoux de leur banc d'essai surnommé le « chantier naval ». Disponibles uniquement sur place, ces bières sont brassées en petites quantités et varient selon les saisons. C'est l'occasion parfaite pour découvrir des produits uniques et éphémères. Vous pourrez savourer ces nombreux délices houblonnés, au verre, à la pinte ou en format de dégustation de 8 mini-verres appelé la « rose de vents ». Pour les petits creux, on vous conseillera d'aller à la boulangerie La Mie Véritable située à deux pas et de ramener le tout à la micro. Ici c'est le genre « apportez votre nourriture » ! Côté culturel, des événements tels des spectacles, jam et projections de films se tiennent au fil des semaines. Un arrêt obligé à Carleton et si vous aimez leur bière à ce point, pas de souci, des bouteilles sont en vente.

Notre sélection à découvrir :

- ➔ ***À La Bourdages**, Ale ambrée aux fraises (fabriquée à partir d'un moût léger, fermenté sur un mélange de levure et de pulpe de fraises ayant servi à la confection de l'Alexis, un apéritif-digestif de fraises de la Ferme Bourdages Tradition à Saint-Siméon), 7 %*
- ➔ ***Corte-Real**, Pale Ale au houblon Centennial, 5.6 %*
- ➔ ***Léonne**, Bière blanche d'inspiration belge, 4.5 %*
- ➔ ***Machault**, Extra Special Bitter ambrée, 5.2 %*
- ➔ ***Swordfish**, Ale brune forte hybride (malt de base et levure de tradition belge et malts de spécialité anglais), 6.75 %*
- ➔ ***Racoon**, Imperial Black India Pale Ale, 12 %*

MICROBRASSERIE PIT CARIBOU

27, rue de l'Anse, Anse-à-Beaufils
418-782-1444
www.pitcaribou.com
Boutique sur place. Fin juin à début septembre : lundi-samedi, 10 h-18 h ; dimanche, 12 h-16 h. Le reste de l'année : lundi-vendredi, 8 h-17 h ; fermé le week-end.

Ayant de la difficulté à trouver des bières de qualité à saveurs spécifiques dans leur région, deux acolytes, Francis Joncas et Benoît Couillard, ont commencé à brasser leur propre bière pour consommation personnelle en y ajoutant une touche de terroir dans le développement de bières de spécialité. Le résultat: l'apparition de Pit Caribou en juin 2007, microbrasserie toute gaspésienne. Cette usine de production de bières artisanales est installée dans le havre de pêche de ce petit village situé à 8 km de Percé.

Pit Caribou brasse quatre bières, fruits d'un brassage traditionnel à la main: La Blonde de l'Anse, La Bonne Aventure Rousse, La 475 Blanche de Pratto (bière régulière créée à la base pour le 475e anniversaire de Gaspé en 2009), et La Gaspésienne #13 (bière noire de type porter composée en partie d'orge gaspésienne), sans compter les éditions limitées variant selon les saisons et l'humeur des brasseurs, dont la nouvelle série L'Étoile du Brasseur, brassées en saison hivernale. Leurs bières sont disponibles en bouteilles de 500 ml et en cruchons de 1,9 litre chez les détaillants spécialisés de la province. On retrouve également les bières Pit Caribou en fût dans la région gaspésienne, sans oublier certains bars à bières spécialisés dans les centres urbains. L'année 2010 marqua l'agrandissement de la microbrasserie avec l'ajout de nouveaux équipements permettant ainsi de tripler la production. En 2011, la Gaspésienne #13, ce Porter robuste au goût de chocolat et café, a remporté la médaille d'argent dans sa catégorie au Canadian Brewing Award de Toronto.

La microbrasserie désire aménager un salon de dégustation prochainement, mais entre temps, n'hésitez pas à faire un arrêt à leur boutique brassicole où vous pourrez vous procurer leurs bières ainsi que des verres et chandails à l'effigie de la microbrasserie. Une autre bonne raison d'aller découvrir ce magnifique coin de pays !

Notre sélection à découvrir :

→ ***La 475 Blanche de Pratto***, *Bière de blé de type Witbier belge, 4.75 %*
→ ***La Blonde de l'Anse***, *Ale dorée, 5 %*
→ ***La Bonne Aventure***, *Ale ambrée, 5 %*
→ ***La Gaspésienne #13***, *Porter robuste, 6.2 %*

PUB LA FABRIQUE

360, avenue Saint-Jérôme, Matane
418-566-4020
www.publafabrique.com

Lundi, fermé ; mardi-vendredi, 11 h-1 h ; samedi-dimanche, 15 h-1 h. Fermé le mardi hors saison estivale. Visite des installations brassicoles et dégustation : mercredi à 14 h 30 et sur demande le reste du temps. Items à l'effigie de la brasserie en vente sur place. Programmation culturelle et musicale à l'année.

Le Pub La Fabrique, situé en plein cœur du centre-ville de Matane, est tenu par la coopérative de travail Le Cabestan. Fondée en 2008, elle résulte des différentes passions qui animent l'équipe : Jean-Pierre Boutin était brasseur maison depuis 2003, Véronique De Rosby, actuelle chef du pub, est une mordue de cuisine, et Martin Grant, artiste en arts visuels et œuvrant dans le domaine de la construction, venait d'acquérir une bâtisse qu'il allait rénover. C'est en ralliant toutes ces idées que le choix devint évident : l'ouverture de la première brasserie artisanale de la côte nord gaspésienne en juillet 2010. À cette belle équipe s'est ajoutée Karine Courcy, forte de son expérience dans le domaine du service, qui agit à titre de responsable du service/gérante et photographe.

La brasserie produit avec amour et passion une dizaine de bières allant de la blanche à la noire, en passant par l'American Amber Ale, la Porter et le Stout Imperial Russe. Pour ajouter aux découvertes houblonnées, une trentaine de bières de microbrasseries artisanales québécoises et ainsi que des importations en bouteilles (Angleterre, Belgique, États-Unis…) sont également au menu. La Fabrique se veut aussi un lieu de découvertes gustatives avec une cuisine style pub mettant en vedette les produits locaux et régionaux : amuse-bouches (frites maison à la belge, brie fondant à la fleur d'ail, grosses crevettes à la Thaï…), sandwichs, grilled cheese et burgers gourmands, salades et assiettes de la mer. Pour clore le programme, plusieurs événements viennent ponctuer les semaines : spectacles musicaux, expositions d'œuvres d'artistes locaux, projections de films, conférences, soirées de conte, impro, etc., sans oublier les célébrations de la St-Patrick ou encore de l'Oktoberfest. À mettre au carnet de route !

Notre sélection à découvrir :

- → ***Caltor***, *Stout à l'avoine, 4 %*
- → ***Goupil***, *Mild Ale, 4.6 %*
- → ***Pain d'Épices***, *Belge forte aux épices (cardamome, gingembre, cannelle, muscade et poivre noir), 6.9 %*
- → ***République***, *Ale blonde, 5 %*
- → ***Rivière Blanche***, *Bière de blé de type Witbier belge, 4.8 %*
- → ***Salamagone***, *American Amber Ale, 5 %*

OXYMOR : DES BIÈRES CHARPENTÉES, RONDES ET TEXTURÉES !

Au cours des derniers mois, plusieurs ont vu arriver sur les tablettes des détaillants un nouveau joueur brassicole : Oxymor. Le manitou du fourquet derrière ces nouvelles créations est Martin Bernard, actuellement brasseur à contrat chez Pit Caribou de l'Anse-à-Beaufils en Gaspésie. Ce dernier, qui s'est d'ailleurs fait la main dans d'autres microbrasseries auparavant, est un autodidacte passionné qui vise à surprendre nos papilles avec des bières combinant des ingrédients et des techniques de fabrication inhabituels. Les deux premiers produits sur le marché furent une India Pale Ale ainsi qu'un Wheat Wine, une recette qui nous vient de la côte est américaine. À l'opposé du Barley Wine qui intègre principalement l'orge dans sa conception, le Wheat Wine est composé, comme son nom l'indique, de blé mais également d'orge fait exclusivement pour ses recettes, de sarrasin, de seigle, de camomille égyptienne et de houblons américains. Cette dernière, produite en quantité limitée, a connu un tel succès que tous les stocks se sont écoulés en à peine trois semaines. Mais réjouissez-vous car Martin nous prépare d'autres bières d'ici quelques mois. Une bière conçue selon le procédé de double mashing sera produite en édition limitée de 600 litres, soit 1 200 bouteilles. D'un beau rubis tirant sur le brun, elle titrera à 11.5 % et 90 IBU. Parmi les autres recettes à venir, notons un vin d'orge composé en partie de raisins à vin ainsi qu'une Hopfen Eisbock, une grande première dans l'industrie, houblonnée à l'américaine suivi d'une distillation par le froid, avec une prédominance d'orange et de fleur. Oxymor étant encore en phase de développement, le tout est pour l'instant brassé dans les installations de Pit Caribou, mais Martin aimerait bien ouvrir éventuellement sa propre brasserie artisanale. Pour ceux qui aimeraient découvrir les bières Oxymor, sachez qu'on les retrouve dans une cinquantaine de points de vente à travers la province. Mais hâtez-vous car elles disparaissent rapidement ! C'est plutôt de bon augure, non ?!

MARCHANDS DE BONHEUR

ÉPICERIE R. SAINT-GELAIS

405, boulevard Dion, Matane
418-566-2830
www.epiceriestgelais.com
Lundi-dimanche, 8 h-22 h.

Fondée en 1971, cette épicerie de quartier se démarque par ses nombreuses spécialités : boucherie, boulangerie, pâtisserie, service de traiteur, comptoir fruits et légumes, produits écologiques, produits équitables et... bières de spécialité. Près d'une trentaine de microbrasseries québécoises distribuent leurs produits à cette épicerie pour un choix effarant de bières. C'est quasiment impossible de ne pas trouver ce que l'on cherche. Prévoyez donc du temps pour faire votre sélection !

Et aussi :

ÉPICERIE FINE LE VERT PISTACHE

130, avenue de Grand-Pré, Bonaventure
418-534-5575

ÉPICERIE THIBAULT

88, rue Carignan, Sainte-Anne-des-Monts
418-763-2633

CHEZ LE BRASSEUR

À L'ABRI DE LA TEMPÊTE

286, chemin Coulombe, L'Étang-du-Nord
418-986-5005
www.alabridelatempete.com

Ouvert tous les jours de mi-mai à fin septembre. Ouvert en période hivernale pour des événements. Visite des installations brassicoles et dégustation offerte tous les jours de fin mai à fin septembre (à l'année pour les groupes sur réservation). Items à l'effigie de la microbrasserie en vente sur place.

Jean Sébastien Bernier était brasseur au Bilboquet à Saint-Hyacinthe lorsque sa copine Anne-Marie Lachance lui a fait visiter son coin de pays d'adoption, les Îles de la Madeleine, en l'an 2000. Celui-ci a eu le coup de foudre pour l'archipel et de retour sur la terre ferme, le couple étudia la possibilité d'y installer une microbrasserie. Après de longues recherches, ils trouvèrent l'endroit idéal dans une ancienne usine de transformation de poisson laissée à l'abandon. Ils commencèrent alors les travaux, non seulement de la microbrasserie, mais aussi de la micromalterie, alors une première en Amérique du Nord. Toutefois, comme il n'y a plus de producteurs d'orge aux îles, la microbrasserie ne malte plus.

Recherchant constamment des façons de s'ancrer dans le territoire fragile que sont les Îles, la microbrasserie valorise l'utilisation de matières premières locales dans la conception de ses bières. L'élaboration d'un malt fumé au *Fumoir d'Antan*, la récolte de fleurs, d'algues, d'épices et d'herbes sauvages est un gage d'authenticité et de fraîcheur qui contribue à la création de bières uniques et racées. Le maillage avec divers producteurs des Îles est une priorité pour À l'Abri de la Tempête. En plus de l'alliance avec le Fumoir d'Antan, les rejets de céréales produits sont récupérés par l'entreprise Les Veaux de Nathaël qui utilise les drèches, troubles, levures et bières pour alimenter ses bêtes. De plus, toute l'énergie nécessaire pour le brassage est produite avec de la vapeur qui est ensuite récupérée pour diminuer les pertes thermiques.

Parmi sa gamme de bières, dont plusieurs se trouvent chez les détaillants spécialisés de la province, trois sont exclusives à des restaurants madelinots: Les Pas Perdus, le Domaine du Vieux Couvent et le Café de la Grave. Nouveauté: la série «Les Palabres» composée de bières inusitées, de brassins spéciaux et d'expérimentations qui vont et qui viennent de façon aléatoire, au gré de leurs recherches. Disponibles à l'occasion aux Îles et hors des Îles, elles sont issues d'un fermenteur naufragé qui conte et raconte des histoires, qui marche, qui malte, qui ment et qui fermente… des palabres!

Sur place, la microbrasserie propose plusieurs petites assiettes garnies de produits madelinots pour accompagner la bière : les produits du *Fumoir d'Antan* (maquereau, hareng, saumon et pétoncles fumés), des fromages de la fromagerie *Pied-de-Vent* (Cheddar, Tomme des demoiselles et Pied de vent), du loup-marin fumé de la *Boucherie Côte à Côte*, du pain à la bière fait par la *Fleur de Sable*, des terrines à la bière L'Écume et des saucissons des *Cochons Tout Ronds*, des pâtés de foie des *Veaux de Nathaël*, ainsi que des pousses et germinations de l'Îlot Naturel.

À l'Abri de la Tempête est un incontournable pour les amateurs de bières et saveurs qui passeront par l'archipel.

Notre sélection à découvrir :

- ➔ ***Belle Saison***, *Blonde florale parfumée avec une série d'herbes sauvages récoltées sur l'archipel, 5.8 %*
- ➔ ***Corne de Brume***, *Scotch Ale, 9 % (classée dans le top 10 des meilleures Scotch Ale au monde selon l'incontournable site RateBeer)*
- ➔ ***Corps Mort,*** *Vin d'orge salin et robuste brassé à partir de grains fumés et ayant frayé avec le hareng du Fumoir d'Antan, 11 %*
- ➔ ***Écume***, *Lager blonde, 4.8 %*
- ➔ ***Palabre de l'Intendant***, *Ale issue du projet Annedda (voir rubrique « Introduction »), 4.8 %*
- ➔ ***Terre Ferme***, *Ale blonde franche et végétale, 6.2 %*

CHEZ LE BRASSEUR

BRASSERIE ARTISANALE ALBION

408, boulevard Manseau, Joliette
450-759-7482
www.brasseriealbion.com

Lundi-dimanche, 14 h-fermeture (l'heure de fermeture minimum est 23 h 30). Items à l'effigie de la brasserie en vente sur place. Table de babyfoot, terrasse. Programmation culturelle et musicale à l'année.

Dirigée par les frères Bussières (dont Steven, ancien brasseur à l'Amère à Boire de Montréal), la brasserie artisanale Albion à pignon sur rue dans l'ancienne maison du notaire Lavallée à Joliette. Depuis l'hiver 2010, ils confectionnent sur place des bières d'inspiration anglaise (bières modernes, anciennes et oubliées), toutes brassées selon les règles de l'art. Une vingtaine de recettes a vu le jour au cours des dernières années avec une constance de sept régulières aux pompes ainsi que des saisonnières, en rotation selon les saisons et l'inspiration du moment. Certaines bières ont en plus subi un vieillissement en cuve de chêne. Ce brasseur artisan s'est également doté de deux pompes à cask ce qui permet de servir de la bière gazéifiée naturellement, sans filtrage et pasteurisation. Les amoureux du style seront ici comblés !

Pour accompagner votre pinte, des grignotines viendront apaiser votre faim, comme le réputé nachos gratiné. Mais l'Albion caresse l'idée d'offrir un menu plus consistant, misant sur les produits locaux et artisanaux de la région. Pour ajouter à l'ambiance déjà fort agréable et décontractée, la brasserie possède aussi une petite salle de spectacles de 50 places où musiciens de styles variés, conteurs et musiciens de jam traditionnel se produisent fréquemment. Des événements tels des sessions de musique traditionnelle ou des soirées cinéclub viennent compléter le programme.

Fait important : les savoureuses bières de l'Albion ne sont disponibles que sur place ou lors de certains festivals de bières. Une excellente raison pour venir faire votre tour dans cette belle région !

Notre sélection à découvrir :

→ ***Albion Bitter****, Ale blonde au goût très complexe, 4 %*

→ ***Chiniquy Mild Ale****, Ale rousse très maltée à l'amertume discrète, 4 %*

→ ***Double Stout****, Stout fort et corpulent, 7.5 %*

→ ***Falcon Punch****, Pale Ale américaine, 5.5 %*

→ ***L'Ancêtre Porter****, Porter moderne, 5 %*

→ ***X Ale****, Ale blonde basée sur une recette de 1830 d'une brasserie londonienne, 7 %*

HOPFENSTARK

643, boulevard de L'Ange Gardien, L'Assomption
450-713-1060
www.hopfenstark.com
Dimanche-mercredi, fermé ; jeudi-vendredi, 16 h-23 h ; samedi, 15 h-23 h.
Visite des installations brassicoles et dégustations sur réservation.

Hopfenstark se spécialise dans la fabrication de bières très goûteuses dont la IPA Post Colonial avec sa franche amertume, ou encore la Saison Station 16, une bière de seigle d'inspiration belge au bouquet épicé rappelant les agrumes et le clou de girofle. Au fil des ans, les bières de cette microbrasserie se sont vues récompensées maintes fois, sans oublier les nombreux palmarès sur l'incontournable site RateBeer.com. En 2012, la Saison Station 55 a remporté la médaille d'argent dans la catégorie « Style Saison – inspiration française ou belge » au World Beer Cup de San Diego, puis la Greg American Foreign Stout a raflé l'or au concours MBière du Mondial de la Bière de Montréal. Rien de moins. De plus, pour l'édition 2012 de l'Oktoberfest des Québecois, la Helles, elle aussi récompensée au MBière mais en 2011, fera partie des deux bières officielles de l'événement.

La microbrasserie, qui célébrait son 5e anniversaire en novembre 2011, continue de nous surprendre en développant des bières variées qui sauront plaire à l'amateur. En production limitée, saisonnière ou régulière, un salon de dégustation permet aux bièrophiles de découvrir ses excellentes bières. Ce dernier, adjacent au site de production, est l'hôte de différents événements comme des spectacles ou des journées pour les brasseurs maison. Notez que le salon de dégustation peut être réservé pour des événements corporatifs, des vernissages, spectacles et autres. Sur place, vous pourrez goûter aux bières régulières en plus des recettes saisonnières et spéciales qui viennent et repartent selon les récoltes et l'humeur des brasseurs, telle la Kamarad Friedrich 5 Star, un imperial stout vieilli en fût de chêne. Pour consommation sur place, Hopfenstark offre également en rotation des produits plus rares en bouteille tels la Framboise Forte (vieillie en fût de chêne), la Saison Station 10, ou encore la Baltic Porter de l'Ancrier (vieillie en fût de chêne). Il est aussi possible d'acheter et d'emporter votre bière préférée en bouteille (quantité limitée). On peut également découvrir les produits Hopfenstark en bouteille chez plusieurs détaillants de la province ainsi qu'en fût dans certains établissements spécialisés au Québec et même aussi loin qu'à Chicago aux États-Unis.

Notre sélection à découvrir :

- → ***Baltic Porter de l'Ancrier***, *Baltic Porter, 8 %*
- → ***Berlin Alexanderplatz***, *Berliner Weisse, 3.2 %*
- → ***Blanche de l'Ermitage***, *Bière de blé cru d'inspiration belge aromatisée d'écorces d'orange et de coriandre, 5 %*
- → ***Boson de Higgs***, *BerlinerRauchSaison, 3.8 %*
- → ***Captain Swing***, *Vin d'orge, 9 %*
- → ***Saison Station 55***, *Saison amère hybride entre une bière belge de terroir et une IPA de type américaine, 6.5 %*

MICRO-BRASSERIE L'ALCHIMISTE

681, rue Marion, Joliette
450-760-2945
www.lalchimiste.ca

Prenez note que malgré le déménagement, le salon de dégustation, qui fut il y a quelques années l'adresse de la microbrasserie, est toujours ouvert et est géré de façon autonome. Référez-vous à la rubrique « Aubergiste, à boire ! » de cette région.

Carl Dufour a ouvert la Micro-Brasserie L'Alchimiste, première microbrasserie de la région de Lanaudière, en décembre 2001. Originaire de Chibougamau, c'est en voyageant et en découvrant le Québec brassicole qu'il a été tenté par l'aventure. Les bières entièrement naturelles de la Micro-Brasserie L'Alchimiste remportant un vif succès, la microbrasserie s'est installée dans de nouveaux locaux plus spacieux, situés dans le parc industriel de Joliette. Les choses allant bon train, la croissance poursuivie sa cadence et au printemps 2011, dans un souci de renouveau pour continuer sa lancée, des changements furent apportés à l'administration : nouveaux actionnaires et directeur général, un service à la clientèle et une direction des ventes renouvelée, ainsi que tout le savoir faire des anciens de la brasserie.

L'Alchimiste brasse des bières de grande qualité que l'on retrouve facilement dans les marchés et dépanneurs de la province : la Blanche, la Claire (blonde), La Bock (ambrée), la IPA (plus que délicieuse !), L'Écossaise (brune) et la Métropole (blonde aux reflets dorés). Pour une pleine dégustation, des caisses Quatuor incluent trois bouteilles de quatre bières différentes et sont disponibles chez de nombreux détaillants. Des « étoiles filantes », soit des éditions limitées, font également leur apparition au fil des mois dont l'Eisbock et l'Imperial Stout, toutes disponibles en caisse de six bouteilles.

Notre sélection à découvrir :

- → **Blanche**, *Bière de type Weizen d'inspiration allemande, 5 %*
- → **Eisbock**, *Bière de glace liquoreuse au procédé unique issu d'une technique ancestrale allemande, 9.5 %*
- → **Imperial Stout**, *Imperial Stout, 7.9 %*
- → **IPA**, *India Pale Ale, 5.5 %*
- → **La Bock de Joliette**, *Lager forte ambrée, 6.1 %*
- → **L'Écossaise**, *Scotch Ale, 5 %*

AUBERGISTE, À BOIRE !

BIÈRES ET COMPAGNIE

2285, chemin Gascon, Terrebonne
450-492-3339
www.bieresetcompagnie.ca

Lundi-vendredi, 11 h-fermeture (ouvert tard) ; samedi-dimanche, 16 h-fermeture (ouvert tard). Se référer à la section « Montréal » pour plus d'information.

BISTRO L'ALCHIMISTE

536, boulevard Manseau, Joliette
450-760-5335
Lundi-dimanche, 15 h-fermeture (selon l'affluence). Fermé le dimanche hors saison estivale. Terrasse. Pour toute information, consultez leur page Facebook (Bistro l'Alchimiste).

Anciennement l'adresse de la microbrasserie bien connue de la région de Lanaudière, ce bistro est depuis plusieurs années le fier représentant des excellentes bières de l'Alchimiste, tout en étant une entité distincte. Véronique Joly, qui a travaillé pendant plusieurs années à la microbrasserie, tient les rennes de ce charmant bistro au cœur de Joliette. Côté houblon, une dizaine de bières de l'Alchimiste figurent au menu, dont plusieurs cuvées exclusives. Le bistro mise également sur les produits du terroir et cela se reflète tant dans la carte des alcools (cidres, vins d'érable, vins fortifiés…) que dans celle des repas (saucisses, viandes fumées…). Environ 75 places sont disponibles à l'intérieur et une quarantaine sur la terrasse. La scène a été agrandie pour le bonheur des visiteurs qui profitent des spectacles d'artistes bien de chez-nous. Bref, une adresse incontournable pour passer d'excellents moments, seul ou entre amis, avec une bonne pinte de bière à la main!

LE BALTHAZAR BIÈRES QUÉBÉCOISES

67, Place Bourget Sud, Joliette
450-867-4999 | www.lebalthazar.ca
Lundi-dimanche, 15 h-3 h. Terrasse. Autre bar Le Balthazar : 195, Promenade du Centropolis à Laval ; épicerie Le Balthazar Saveurs Québécoises : 60, Place Bourget Nord à Joliette.

Cinq comparses, tous fous de la bière, avaient en tête d'ouvrir un bar à bières québécoises au cœur de la capitale lanaudoise. Pari réussi! Le 18 décembre 2009, Le Balthazar servait ses premières pintes à une foule en quête de délices houblonnés. Fier représentant de l'industrie brassicole québécoise, on trouve ici que des produits bien de chez-nous (plus d'une soixantaine!), à savourer à l'unité ou en palette de dégustation: À l'Abri de la Tempête, Hopfenstark, Microbrasserie Charlevoix, Brasseurs du Temps, Le Bilboquet, Brasserie Dunham, Le Trou du Diable, Dieu du Ciel!… Et la liste pourrait bien s'allonger encore! Question de mettre vos sens en éveil, un menu composé de produits locaux et parfaitement adapté à la bière vous est offert (rillette de canard et croûtons, fondue d'artichaut et cheddar fort, panini saucisse forte, champignons sautés et cheddar fort, etc.). Côté programmation, plusieurs spectacles musicaux et événements spéciaux viennent ponctuer les semaines, sans oublier les ateliers et dégustations organisés à l'épicerie Le Balthazar située à deux pas.

MARCHANDS DE BONHEUR

LE BALTHAZAR SAVEURS QUÉBÉCOISES

60, Place Bourget Nord, Joliette
450-867-7017
www.lebalthazar.ca
Lundi, fermé ; mardi-mercredi, 12 h-18 h ; jeudi, 12 h-21 h ; vendredi, 11 h-21 h ; samedi, 10 h-19 h ; dimanche, 12 h-18 h. Ateliers et dégustations organisés à la boutique. Clinique de la bière à domicile sur réservation. Bar Le Balthazar : 67 Place Bourget Sud à Joliette et 195 Promenade du Centropolis à Laval.

Petite sœur gourmande des bars à bières québécoises Le Balthazar, l'épicerie du terroir, située à quelques pas du bar de Joliette, a ouvert ses portes en décembre

2010. On y retrouve une superbe sélection de plus de 250 bières d'ici représentant ainsi une quarantaine de microbrasseries québécoises. Les conseillers sauront vous aiguiller pour faire un choix éclairé parmi ce vaste choix. Et comme la bière adore être bien entourée, des produits fins du terroir trônent un peu partout sur les étalages : huiles et vinaigres, épices, gelées, tartinades, marinades, etc. Une adresse gourmande à découvrir pour faire le plein de provisions !

SAVEURS UNIES

547, boulevard des Seigneurs, Terrebonne
450-964-0000
Lundi, fermé ; mardi & samedi, 10 h-17 h ; mercredi, 10 h-18 h ; jeudi-vendredi, 10 h-19 h ; dimanche, 10 h-16 h 30.

Quand on met les pieds chez Saveurs Unies, tous nos sens sont mis à contribution. Une charmante épicerie fine aux couleurs du monde débordant de produits d'exception. On y trouve de tout : huiles et vinaigres aromatisés, épices, chocolats, cafés, thés, gelées et confitures, ainsi qu'une gamme importante de produits du terroir de nos artisans d'ici. Côté bières québécoises, on n'est pas déçu ! Plus de 250 sortes différentes trônent sur les étalages et devenant le produit phare de la boutique, l'inventaire poursuit sa croissance. Pour pousser davantage l'expérience gustative et la découverte, des dégustations gratuites de bières et de produits régionaux sont offertes, généralement le samedi pendant les heures d'ouverture. Un bel endroit gourmand et une équipe avertie qui saura bien vous guider dans vos choix !

Et aussi :

DÉPANNEUR BRANDON

260, rue Beauvilliers, Saint-Gabriel-de-Brandon
450-835-7474

MARCHÉ CHAMARD ET FILS

84, boulevard Industriel, Repentigny
450-581-0303

CHEZ LE BRASSEUR

BRASSEURS ILLIMITÉS

385, rue du Parc, local 102, Saint-Eustache
450-598-1363
www.brasseursillimites.com

Visite des installations brassicoles et dégustation pour les groupes sur réservation. Ouvert au grand public le samedi après-midi et vente sur place de bières à emporter.

René Huard brasse de la bière depuis 1983 et son parcours est impressionnant, tant au niveau de l'expérience que des mentions honorables et médailles décernées. De dégustateur à auteur, de conférencier à brasseur et chef de production, les bières Bièropholie ont fait partie du paysage brassicole québécois pendant plusieurs années : l'Imperial Stout (ai-je besoin d'expliquer…), la Calumet (un double porter fumé), la Cascade Plus (IPA amère à souhait)… Au fil des ans, ces bières ont été brassées dans différentes microbrasseries de la région montréalaise mais c'est maintenant chose du passé comme René a démarré sa propre microbrasserie dans les Basses-Laurentides il y a quelques années.

Brasseurs Illimités est une brasserie de grosseur intermédiaire : beaucoup plus petite que McAuslan ou Unibroue par exemple, mais beaucoup plus grosse que les brasseries régionales. Sa capacité actuelle de production est d'environ 40 000 caisses par an, chiffre qui peut facilement tripler grâce aux installations à la fine pointe de la technologie.

Brasseurs Illimités a fait ses débuts avec la gamme de bières de dégustation « Simple Malt ». Destinées aux gens exigeants qui recherchent la puissance des saveurs tout en n'acceptant pas de compromis sur l'équilibre de l'ensemble, ces bières sont accompagnées d'un « sceau d'engagement » : qualité, constance et satisfaction. Elles sont simplement faites de céréales, de houblon, d'eau et de levure sans aucun produit ésotérique ajouté. À cette gamme toujours disponible chez nos détaillants préférés s'ajoutent des éditions limitées ainsi que d'autres sublimes produits qui suivent les saisons et l'inspiration de l'équipe. Au printemps 2012, nous avons eu le bonheur de découvrir un nouveau produit inusité en édition limitée : une boîte de 6 truffes à la bière de la série Simple Malt, en collaboration avec L'Artiste Chocolatière. Dé-li-cieux !

À vous maintenant de partager leur passion pour cette noble boisson, en dégustant dans toutes ses déclinaisons la richesse des saveurs extraites du… simple malt ! *N.B. : Pour rendre hommage à l'actualité gouvernementale de la dernière année, deux bières d'exception sont nées, fruits d'une imagination sans bornes. Référez-vous à la rubrique « Abiercédaire », lettre « Q » pour découvrir ces deux bijoux.*

Notre sélection à découvrir :

- ➔ ***Patriote Blonde***, *Ale blonde, 4.9 %*
- ➔ ***Simple Malt Altbier***, *Ale rousse allemande, 6.6 %*
- ➔ ***Simple Malt Cascade***, *India Pale américaine, 6.4 %*

- → ***Simple Malt Fumée**, Ode aux malts fumés, 8.6 %*
- → ***Simple Malt Imperial Stout**, Noire majestueuse, 8.1 %*
- → ***Simple Malt Scotch Ale**, Whee Heavy écossaise, 8.2 %*

DIEU DU CIEL ! – LA MICROBRASSERIE

259, rue de Villemure, Saint-Jérôme
450-436-3438
http://micro.dieuduciel.com/fr/
Lundi-mercredi, 11 h 30-2 h ; jeudi-vendredi, 11 h 30-3 h ; samedi, 13 h-3 h ; dimanche, 13 h-minuit. Horaire sujet à changements hors saison estivale. Visite des installations brassicoles avec dégustation offerte aux groupes de 4 à 10 personnes sur réservation (5 $ par personne incluant 3 dégustations). Terrasse.

Les bièrophiles connaissent bien le Dieu du Ciel !, cette brasserie artisanale du quartier Mile-End à Montréal. Au fil des ans, l'excellente réputation de la petite brasserie de 500 litres l'amena à envisager l'ouverture d'une microbrasserie afin d'embouteiller certains de ses produits et de pouvoir répondre à la demande sans cesse grandissante. C'est dorénavant chose faite depuis 2007, grâce notamment à l'équipe qui tient les rennes de ce lieu de production.

Une vingtaine de leurs bières sont disponibles sur les tablettes des détaillants spécialisés à travers la province, certaines qu'une seule fois par année. La Corne du Diable, une India Pale Ale, la Route des Épices, une bière de seigle au poivre, ou la Rigor Mortis ABT, une bière d'abbaye quadruple, ne sont que quelques exemples des délices à savourer. Chose certaine, les bières Dieu du Ciel ! remportent un vif succès à voir les nombreuses reconnaissances décernées au cours des dernières années, tant ici qu'à l'étranger.

L'excellente microbrasserie possède un pub jouxtant ses installations brassicoles. Sur place, plus d'une dizaine de bières maison figurent au menu avec une petite rotation au fil des saisons. Pour accompagner votre pinte de houblon, un menu de type cuisine bistro est offert : des pizzas gourmet, des viandes fumées comme le porc effiloché, les côtelettes de porc et la poitrine de bœuf, etc. Si vous désirez repartir avec un souvenir, des items à l'effigie de la microbrasserie ainsi que des bières pour emporter sont en vente sur place.

Notre sélection à découvrir :

- → ***Charbonnière**, Bière au malt fumé brassée selon la tradition d'une rauchbier, 5.4 %*
- → ***Dernière Volonté**, Ale blonde de style abbaye refermentée en bouteille, 7 %*
- → ***Équinoxe du Printemps**, Scotch Ale à l'érable, 9.1 % (récipiendaire Platine au concours MBière 2012)*
- → ***Herbe à Détourne**, Triple du Nouveau Monde au houblon citra, 10.2 %*
- → ***Péché Mortel**, Imperial Stout au café refermenté en bouteille, 9.5 %*
- → ***Rosée d'Hibiscus**, Ale blanche aux fleurs d'Hibiscus refermentée en bouteille, 5.9 %*

LE BARIL ROULANT / COOP DE TRAVAIL LA COOPPIDUM

2434, rue de l'Église, Val-David
819-320-0069
www.barilroulant.ca

Lundi-dimanche, 11 h-3 h. Horaire réduit hors saison mais ouvert tous les jours. Items à l'effigie de la brasserie en vente sur place. Programmation culturelle et musicale à l'année. Terrasse.

La brasserie artisanale Le Baril Roulant est le fruit des efforts de Patrick Watson, Sonia Grewal et Alexandre Prévost. Patrick, brasseur maison depuis plusieurs années, s'est fait aussi la main chez Brasseurs Illimités sans compter qu'il a également suivi une formation collégiale technique en biotechnologie et un cours avec le réputé Michel Gauthier. De plus, Patrick et Sonia ont souvent participé à des événements, tant privés que publics, où ils tenaient un kiosque mettant en vedette des bières régionales ainsi que les créations houblonnées de Patrick. Étant tous les trois de grands amateurs de bières artisanales, c'est lors de voyages en Europe, où ils ont visité plusieurs brasseries, que le projet d'avoir leur propre brasserie artisanale se confirma. Ainsi, le 15 juin 2012, Le Baril Roulant a ouvert ses portes au public, au plus grand bonheur des bièrophiles de la région. Fondée sous la forme d'une coopérative de travail, englobant une brasserie artisanale et un bistro, elle a pour mission de « fournir à ses membres et à la collectivité un environnement de travail, d'apprentissage, de diffusion et de divertissement éco-responsable, auto-suffisant et socialement impliqué ».

En attente de son permis, ce qui devrait être réglé d'ici la fin de l'année 2012 ou au début 2013, Le Baril Roulant concocte ses recettes dans des brasseries partenaires. Si l'embouteillage ne fait pas partie des plans immédiats, la coopérative vise tout de même à mettre sur le marché une partie de sa production, tout d'abord pour le marché local et ensuite, pour les points de vente spécialisés de la province. Une bière est d'ailleurs disponible en bouteille, soit la Biophilia, une blonde biologique. La brasserie possède une vingtaine de lignes de fût où sont également invitées des microbrasseries québécoises telles Brasseurs Illimités, Hopfenstark, Dieu du Ciel !, Brasseurs du Monde et le Trou du Diable, pour ne nommer que celles-ci. Côté boustifaille, les produits laurentiens et du reste de la province sont à l'honneur : assiettes de fromages québécois, hot dog aux maquereaux fumés et crevettes, burger de bison avec sauce BBQ maison et bière Double Porter, tapas, etc. La cuisine, qui vient de démarrer en juillet 2012, offrira un menu bonifié sous peu. En tous les cas, le mot d'ordre est d'avoir des produits locaux, de saison et biologiques dans le mesure du possible. Au niveau culturel, les lieux accueillent toutes sortes d'événements allant des spectacles musicaux aux expositions d'art visuel, en passant par l'impro et les soirées de contes et poésie. Une nouvelle brasserie à mettre impérativement à votre carnet d'adresses !

Notre sélection à découvrir :

→ ***La Biophilia Blonde****, Ale blonde dorée biologique, 5.5 %*

→ ***La Biophilia Rousse****, Ale rousse biologique, 5.5 %*

→ ***La Fabuleuse****, Pale Ale cuivrée, 6.6 %*

→ ***La Ventarde****, Ale hybride bière-vin, 8.5 %*

LES BRASSEURS DU NORD

875, boulevard Michèle-Bohec, Blainville
450-979-8400
www.boreale.com
Visite des installations brassicoles et dégustation sur réservation.

Les Brasseurs du Nord sont les producteurs des bières Boréale. D'ailleurs, vous entendrez souvent la brasserie se faire appeler tout simplement de cette manière: Boréale. De la première vague des microbrasseries au Québec, celle-ci fut fondée en 1987 par Laura Urtnowski, Bernard Morin et Jean Morin. C'est en brassant leur bière alors qu'ils étaient étudiants que la passion les incita à se lancer en affaires.

Depuis, comme leur emblème l'ours polaire, Les Brasseurs du Nord sont devenus un géant tranquille dans le monde brassicole québécois. Sur réservation, il est d'ailleurs possible de visiter la microbrasserie et ses installations écoresponsables. Les mesures écoresponsables visent à limiter leur impact sur le milieu naturel avoisinant ainsi qu'à augmenter l'efficacité énergétique du bâtiment.

Avec ses six bières de type Ale (Boré*ale*) toutes entièrement naturelles, dont la fameuse Boréale Rousse, première bière rousse au Québec, Les Brasseurs du Nord comptent de plus en plus de bars, restaurants et détaillants parmi leur fidèle clientèle. En avril 2012, une IPA (India Pale Ale) a fait son apparition aux pompes de certains bars et restaurants de la province. Un mois plus tard était lancée la nouvelle collection de bières naturelles de spécialité brassées à partir d'ingrédients du Québec: la Cuvée Boréale aux vraies pommes et canneberges et la Cuvée Boréale aux vrais bleuets sauvages, toutes deux disponibles en bouteilles. D'autres sortes de Cuvée Boréale verront le jour au gré des récoltes et de la créativité des brasseurs!

Notre sélection à découvrir :

- ➔ ***Boréale Blanche***, *Bière de blé de type Witbier belge, 4.2 %*
- ➔ ***Boréale Blonde***, *Ale blonde, 4.5 % (médaille d'or au Canadian Brewing Awards 2012)*
- ➔ ***Boréale Cuivrée***, *Ale ambrée forte, 6.9 %*
- ➔ ***Boréale Dorée***, *Ale blonde au miel, 4.8 % (médaille d'or au Word Beer Cup 2012 et médaille d'argent au Canadian Brewing Awards 2012)*
- ➔ ***Boréale IPA***, *India Pale Ale, 6.2 %*
- ➔ ***Boréale Noire,*** *Dry Stout, 5.5 %*

MICROBRASSERIE DU LIÈVRE

110, boulevard Albiny-Paquette, Mont-Laurier
819-440-2440
www.microdulievre.com
Lundi-dimanche, 8 h-3 h. Vente sur place : tous les jours de 8 h à 23 h.

Cette microbrasserie, propriété de la famille Sabourin, fut fondée pour le nouveau millénaire à la base comme attrait touristique dans le complexe hôtelier « Le Riverain ». Le 1er janvier 2000 à minuit tapant était née la première bière de microbrasserie dans les Hautes-Laurentides. L'idée fit son petit bout de chemin et suite à l'obtention des permis artisanaux et industriels, les bières du Lièvre se sont retrouvées chez les commerces et détaillants spécialisés. Gingembre, carotte, miel et jalapeños ne sont que quelques exemples d'ingrédients composant ces bières « excentriques » et ô combien surprenantes ! Et elles doivent certainement plaire aux bièrophiles à en juger par les nombreux prix remportés au cours de la dernière décennie.

La microbrasserie du Lièvre offre près d'une quinzaine de produits réguliers, incluant quelques éditions saisonnières, dont la Carotte du Lièvre, une bière crémeuse à la carotte, la Jos Montferrand, une ambrée au goût caramélisé, ou encore le El Diablo, un vin d'orge créé pour souligner les 10 ans de la microbrasserie en 2010. D'autres recettes devraient également faire leur apparition pour le plus grand plaisir de nos papilles. Il est possible de savourer leurs bières maison ainsi que quelques importations au pub adjacent aux installations brassicoles. Ouvert tous les jours, on y retrouve un menu proposant, entre autres, des pizzas au four à bois, des brunchs le week-end, etc. Notez que les bières du Lièvre se retrouvent facilement chez les détaillants spécialisés à travers la province.

Notre sélection à découvrir :

→ ***Brune au miel**, Ale brune au miel, 6.5 %*

→ ***El Diablo**, Vin d'orge, 10 %*

→ ***Ginger Beer**, Ale au gingembre élaborée selon la recette originale du Château de Lausanne en Suisse, 5 %*

→ ***IPA du Lièvre**, India Pale Ale, 6 %*

→ ***Jos Montferrand**, Ale ambrée pur malt à 100 % non pasteurisée, 5 %*

→ ***La Frousse**, Ale rousse, 5.4 %*

MICROBRASSERIE LA DIABLE

117, chemin Kandahar, Mont-Tremblant
819-681-4546
www.microladiable.com
Lundi-dimanche, 11 h 30-2 h (la cuisine ferme à 22 h). Visite des installations brassicoles et dégustation disponible sur réservation pour les groupes d'au moins 10 personnes. Items à l'effigie de la microbrasserie en vente sur place. Grande terrasse (140 places).

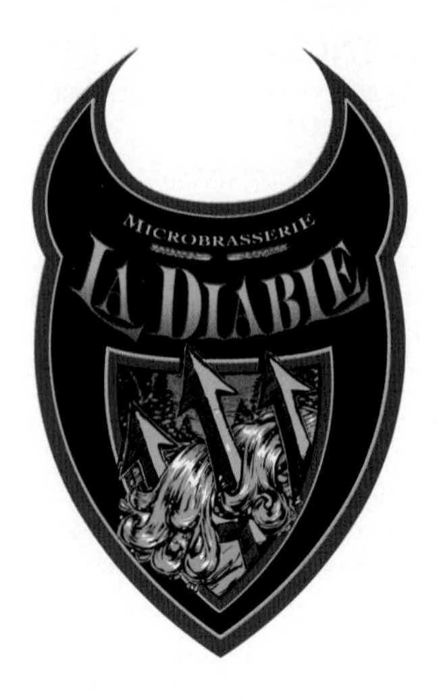

La Diable est une des brasseries artisanales les plus achalandées de la province, à tel point que des rénovations et un agrandissement seront nécessaires à l'automne 2012 pour satisfaire à la demande. Située dans la station touristique du Mont-Tremblant, elle tient son nom de la rivière qui passe tout près des lieux. Avant d'ouvrir en 1995, les propriétaires André Poirier et Pierre Jasmin travaillaient tous deux comme ingénieurs dans l'industrie pétrolière. M. Jasmin brassait alors de la bière maison depuis longtemps et c'est l'idée d'ouvrir une microbrasserie plutôt qu'une brasserie artisanale qui l'intéressait. Mais compte tenu du marché de la bière à cette époque, et suite aux difficultés rencontrées par « la deuxième vague des microbrasseries », ils décidèrent d'opter pour la brasserie artisanale. Les habitués de la station de Mont-Tremblant ne peuvent que les remercier de cette décision, car leurs bières originales, diversifiées et de très bonne qualité, savent assouvir les papilles autant internationales que locales. Des brassins spéciaux suivent également les saisons comme la bière au miel ou aux framboises, la Cream Ale, la Pilsener du printemps, ou encore la Lager bohémienne, pour ne nommer que celles-ci. Accompagnez une de leurs sept bières figurant à l'ardoise d'un des excellents repas préparés sur place (les grillades sont un must!) et le tout devient alors une sublime expérience gustative.

Notre sélection à découvrir :

- ➔ ***7e Ciel**, Pale Ale blonde de type britannique, amertume moyenne, 5.2 %*
- ➔ ***Blizzard,** Bière de blé de type Witbier belge aromatisée avec de la pelure d'orange, de la coriandre et du gingembre, 5 %*
- ➔ ***Diable,** Pale Ale rousse de type britannique, amertume subtile, 4 %*
- ➔ ***Double Noire,** Dry Stout de type britannique, 4.5 %*
- ➔ ***Extrême-Onction,** Bière belge de style trappiste forte, 8.5 %*
- ➔ ***Real Ale**, Version de la rousse non filtrée, refermentée en fût, houblonnée à froid et servie en cask (méthode traditionnelle ancestrale britannique), 4 %*

MICROBRASSERIE SAINT-ARNOULD

435, rue des Pionniers, Mont-Tremblant (secteur Saint-Jovite)
819-425-1262
www.saintarnould.com
Lundi-dimanche, 11 h 30-fermeture (heure de fermeture variable selon l'affluence). Visite des installations brassicoles et dégustation sur réservation. Items à l'effigie de la microbrasserie en vente sur place. Terrasse, table de billard, foyer.

Saint-Arnould, le saint patron de la bière, est né en 1040 à Odemburg en Belgique. Quant à la microbrasserie du même nom, c'est à Mont-Tremblant qu'elle a vu le jour en 1996. Depuis, c'est plus d'une vingtaine de recettes qui ont été brassées dans ce bâtiment fort champêtre du cœur des Laurentides, sans compter les réserves spéciales qui suivent les saisons et l'humeur du brasseur. On retrouve leurs produits chez la plupart des détaillants spécialisés dont la Rivière Rouge, une rousse au parfum de houblon et de caramel, la P'tit Train du Nord, une blonde extra-sec, ou encore la Blanche des Anges, une bière de blé malté avec des écorces d'orange et des épices.

Sur place, des visites guidées, d'une durée d'environ 20 minutes, permettent aux visiteurs de découvrir l'origine de la bière, les procédés de fabrication, sans oublier l'historique de ce grand personnage qu'est Saint-Arnould (sur réservation seulement). Des dégustations sont offertes sur demande. On peut aussi grignoter et découvrir d'autres excellents produits Saint-Arnould au pub de la microbrasserie. Ce dernier permet d'explorer la variété des bières brassées sur place en plus d'offrir un excellent menu pour faire le plein d'énergie. Son resto-pub offre des pizzas avec pâtes de levain à la bière, des burgers, des amuse-gueules, mais aussi des tables d'hôte (jeudi au dimanche) très élaborées et de nombreux plats concoctés à la bière maison.

Notre sélection à découvrir :

→ ***Blanche des Anges***, *Bière de blé de style Witbier belge, 4 %*

→ ***L'Évêque***, *Ale brune forte de style belge brassée avec dix céréales et houblons, aromatisée au miel, non filtrée et longuement vieilli, 8.5 %*

→ ***L'Or Noir***, *Dry Stout, 5.5 %*

→ ***La Marie Framboise***, *Ale ambrée aux framboises, 5.5 %*

→ ***La Noblesse***, *Ale blonde forte de type belge, 8.5 %*

→ ***Vlimeuse,*** *Ale ambrée, 6.2 %*

LE SAINT-GRAAL

32, rue Turgeon, Sainte-Thérèse
450-818-6039
www.saintgraal.ca
Dimanche-mercredi, 15 h-minuit ; jeudi-samedi, 15 h-2 h. Items à l'effigie de la brasserie en vente sur place. Terrasse, Internet sans fil gratuit.

Située dans les Basses-Laurentides, à proximité du Cégep Lionel-Groulx, cette brasserie artisanale est le fruit des efforts de trois acolytes, tous fous de la bière. Pascal Fex, brasseur et copropriétaire, est le manitou derrière les créations houblonnées du Saint-Graal. Biochimiste et microbiologiste de formation, la découverte du monde de la bière et une bonne fibre d'entrepreneur l'ont mené à ce beau projet en s'associant à son frère, Christian Fex. Ce dernier, tout aussi bièrophile, a suivi une formation complète en électromécanique où il a apprit les bases nécessaires lui permettant de faire l'assemblage et l'entretien de la salle de brassage. Le troisième copropriétaire, le chimiste Guy Falardeau, collabore de près avec le brasseur pour tout ce qui touche à la recherche et au développement. Biertrotter à ses heures, il a parcouru le monde brassicole, notamment lors d'une tournée de trois semaines de dégustations et de visites de brasseries en Belgique.

Le Saint-Graal, bien installé dans ses locaux depuis la fin octobre 2010, propose ses propres créations ainsi que des bières invitées de nos microbrasseries québécoises telles Brasserie Dunham, Dieu du Ciel!, Hopfenstark ou encore Brasseurs Illimités, par exemple. On y trouve également les savoureux cidres de Michel Jodoin. Les lieux offrent aussi un menu bouffe allant des grignotines, comme le bol d'olives et les nachos, aux assiettes de fromages ou de charcuteries, sans oublier le fameux sandwich européen. Il ne reste qu'à profiter des divers événements et spectacles et vous passerez un excellent moment à cette adresse fort agréable. À ne pas manquer: les Lundis Douteux (www.douteux.org).

Notre sélection à découvrir:

→ ***La Jarret Noir***, *Sweet Stout, 6.5 %*

→ ***Prima Nocte***, *Ale brune d'inspiration anglaise, 5.5 %*

Ce sont les deux bières en production au moment de la rédaction de ce guide. D'autres bières maison suivront au courant de l'été ou l'automne 2012:* ***Blanche aux framboises* *(5 %),* ***IPA*** *(6 %),* ***Scotch Ale*** *(8 %),* ***Altbier*** *(5 %).*

AUBERGISTE, À BOIRE!

BIÈRE AU MENU

71, Montée Gagnon, Bois-des-Fillion
450-621-0611
www.biereaumenu.com
Dimanche-mercredi, 11 h-minuit; jeudi-samedi, 11 h-1 h. Terrasse, spectacles musicaux.

Plusieurs connaissent la Saucisserie BDF, un paradis pour l'amateur, avec une superbe sélection de bières de microbrasseries québécoises pour un accord des plus savoureux. Fondée en 2004, la saucisserie déménagea dans de nouveaux locaux plus appropriés à la fin 2008 et les propriétaires, Rachel et Pierre, en ont profité pour ouvrir Bière au Menu en mars 2009, un resto de style pub adjacent à la saucisserie. Bière au Menu a de quoi faire rêver l'amateur de houblon: 70 bières en bouteille, 10 lignes de fût avec une rotation selon la demande et les saisons, sans oublier une belle sélection de bières en importation privée via Bièropholie. Parmi les gros vendeurs, mentionnons entre autres Dieu du Ciel!, Trou du Diable, Le Naufrageur, Microbrasserie Charlevoix, Brasseurs Illimités et Brasserie Dunham. Pour vous tenir au parfum des bières offertes, consultez le site Internet. Pour accompagner votre pinte de houblon, un menu gourmand est proposé: des amuses gueules, des ailes de poulet, des spécialités maison tels le boudin ou le sandwich européen, des sandwichs et burgers, des grillades, des pâtes, des fish & chips, du couscous… On ne pourrait passer sous silence le Menu Dégustation qui comprend quatre demi-saucisses accompagnées de quatre petits verres de bières différentes avec choucroute, cornichons et frites maison. Décadent! Sachez qu'ils sont également propriétaires de la Saucisserie BAM située à Laval (voir section «Laval», rubrique «Marchands de bonheur»).

FRITE ALORS !

249, rue Principale, Saint-Sauveur
450-744-1461
www.fritealors.com
Lundi-mercredi & dimanche, 11 h 30-22 h ; jeudi-samedi, 11 h 30-23 h. L'horaire peut varier hors saison. Terrasse.

Se référer à la section « Montréal » pour plus d'information.

MARCHANDS DE BONHEUR

MARCHÉ VAILLANCOURT

878, chemin du Village, Morin-Heights
450-226-2215
Lundi-dimanche, 8 h-22 h.

Une petite épicerie sympathique qui saura satisfaire les envies des connaisseurs de bières et les fins gastronomes. Quasiment toutes les bières brassées au Québec y sont vendues. Une fois sur place, on vous conseille aussi de jeter un coup d'œil au rayon alimentation qui regorge, entre autres, de produits du terroir, de charcuteries faites maison (saucisses merguez, chipolata, rillettes et saucissons notamment), de pains naturels de la Boulangerie Chapdelaine de Val-David, sans oublier les pizzas maison, à consommer sur place ou pour emporter.

Et aussi :

IGA TREMBLANT

412, route 117, Mont-Tremblant (secteur Saint-Jovite)
819-681-0330

LA PORTE DES BIÈRES

604, rue Fournier, Saint-Jérôme
450-438-3789

MÉTRO L. DUFRESNE ET FILS

2500, rue de l'Église, Val-David
819-322-2030

MÉTRO PLUS STE-ADÈLE

555, boulevard Sainte-Adèle, Sainte-Adèle
450-229-2345

*L'épicerie prévoit commencer son approvisionnement en bières de microbrasseries québécoises à l'été ou l'automne 2012.

MÉTRO SM J&S QUENNEVILLE

222-A, chemin du Lac-Millette, Saint-Sauveur
450-227-8734

SAUCISSERIE BDF (ADJACENT À BIÈRE AU MENU)

69, Montée Gagnon, Bois-des-Fillion
450-621-0611
www.biereaumenu.com

CHEZ LE BRASSEUR

BRAISE & HOUBLON

2159, boulevard Curé-Labelle
450-687-7627
www.braiseethoublon.com
Lundi-mercredi, 11 h-23 h ; jeudi-vendredi, 11 h-1 h ; samedi, 13 h-1 h ; dimanche, 13 h-23 h. Spectacles musicaux du mercredi au samedi, diffusion de matchs sportifs sur écrans géants. Nombreux spéciaux, happy hour en semaine de 16 h à 19 h.

Ouvert depuis l'hiver 2011, cette brasserie artisanale s'inspire d'un concept déjà fort populaire aux États-Unis : un restaurant à vocation sportive avec une sélection de bières brassées sur place. Occupant les locaux de l'ancien restaurant Le Smart Burger, propriété d'un des actionnaires, les lieux connaissent un franc succès et avec raison. L'homme derrière le fourquet est Christian Marcoux, brasseur depuis plusieurs années mais également chef cuisinier ayant tenu un restaurant dans les Laurentides. Malgré sa préférence pour les bières de type belge, Christian mise également sur une influence des plusieurs styles et surtout, de l'expérimentation. On retrouve aussi aux pompes des bières invitées de d'autres microbrasseries du Québec telles Brasseur de Montréal, Dieu du Ciel ! ou Brasseurs Illimités, pour ne nommer que celles-ci. Côté boustifaille, le menu propose une sélection de paninis, burgers, pâtes, poutines, amuses gueules et salades, sans oublier les grillades, d'où le nom de la brasserie, comme le steak et frites, l'entrecôte de 14 onces, les côtes levées ou encore le filet mignon de 7 onces. Des plats en vedette figurent également à l'ardoise dont quelques-uns à la bière. Une adresse fort conviviale et décontractée où il fait bon se retrouver entre amis ou en famille !

Notre sélection à découvrir :

➔ ***Lager***, *Lager américaine, 5 %*
➔ ***La Lite***, *Xtra Lite Ale, 4 %*
➔ ***La Rouqine***, *Irish Ale, 5.5 %*

LES 3 BRASSEURS

2900, avenue Pierre-Péladeau (Centropolis)
450-988-4848
www.les3brasseurs.ca
Dimanche-mercredi, 11 h 30-minuit ; jeudi, 11 h 30-1 h ; vendredi-samedi, 11 h 30-2 h. Terrasse chauffée.

Se référer à la section « Montréal » pour plus d'information.

HOMMAGE À UN GRAND DISPARU : AMB | MAÎTRE BRASSEUR

Après avoir accumulé plus de vingt médailles de brassage, Pascal Desbiens lance en 2006 la microbrasserie AMB | Maître Brasseur, à Laval (connue pendant quelques années sous le nom « Au Maître Brasseur »). En cinq ans, il brassera plus de 150 recettes en brassin privé et sous sa propre marque dont l'apogée des grands crus d'AMB : plus d'une dizaine de bières distinctives et équilibrées dont la palette de goût met les papilles en fête. Au fil des ans, AMB a su bâtir une équipe extrêmement qualifiée, qui s'est faite l'ambassadrice de sa passion et de ses produits. En plus des cours donnés à sa brasserie pour les bièrophiles amateurs et avertis, Pascal fut, entre autres, chroniqueur pour le journal Le Sous-Verre et donna des conférences chaque année au Festival Bières et Saveurs, événement pour lequel il a d'ailleurs brassé la première bière officielle. À l'aube de l'été 2011, Pascal quitta AMB pour des raisons personnelles et se consacre maintenant à la musique, passion qui l'a toujours habité (pour ceux qui aimeraient découvrir ses talents musicaux : **www.pascaldesbiens.ca**). Quelques mois plus tard, soit à l'automne, la nouvelle tomba : la fermeture définitive de la microbrasserie. Sans plonger dans les détails, cette fermeture fut aussi surprenante qu'inattendue. En tant que brasseur officiel des bières du Petit Futé, nous aimerions souligner le beau partenariat que nous avons eu avec AMB au fil des ans. Ce fut un plaisir de côtoyer ce grand brasseur et toute son équipe !

AUBERGISTE, À BOIRE !

LE BALTHAZAR BIÈRES QUÉBÉCOISES

195, Promenade du Centropolis
450-682-2007
www.lebalthazar.ca

Lundi-vendredi, 11 h-3 h ; samedi-dimanche, 15 h-3 h. Autre bar Le Balthazar : 67, Place Bourget Sud à Joliette ; épicerie Le Balthazar Saveurs Québécoises : 60, Place Bourget Nord à Joliette. Programmation culturelle et musicale à l'année. Terrasse. Spéciaux lors du 4 à 7. Menu dernier service disponible du jeudi au samedi de 23 h à 2 h.

Première franchise du Balthazar de Joliette, la succursale du Centropolis a de quoi séduire les amateurs et néophytes. Cet immense bar à bières québécoises (5 000 pieds carrés !!) comprend une section restaurant, un bar et une belle terrasse, le tout pouvant accueillir près de 600 personnes, rien de moins. Plus de 70 bières triées sur le volet, en fût ou en bouteille, figurent à l'ardoise alors il se pourrait que vous mettiez un certain temps à vous décider. Mais n'ayez crainte car l'équipe saura vous conseiller afin de vous faire découvrir ce que le Québec a de meilleur à offrir, y compris des grands crus pour papilles averties. Pour accompagner le tout, un menu digne des grands gourmets, avec une belle sélection de plats à la bière, vous mettra tout simplement l'eau à bouche : merguez rôties sur compote d'oignons caramélisés avec choucroute et cornichons, trio du terroir « pâté de campagne, foie et terrine gibier » servi avec cornichons, croutons de pain et moutarde de Dijon, pavé de saumon au beurre de tomates séchées, bavette de bœuf à l'échalote marinée à la bière et servie avec frites et sauce Bercy, choucroute maison et son trio de saucisses à la bière accompagnés de pommes de terre vapeur... De quoi faire gronder l'estomac ! Bref, une adresse qui risque fort de devenir votre « camp de base » dans la région !

MARCHANDS DE BONHEUR

MARCHÉ MÉTRO PLUS DÉPATIE

1100, boulevard de l'Avenir
450-687-8233
Lundi-dimanche, 8 h-22 h.

Michel Dépatie est un passionné de bière et on le constate rapidement en discutant avec lui. Sur place, on retrouve les bières d'au moins une dizaine de microbrasseries québécoises dont Dieu du Ciel !, Brasseur de Montréal, À l'Abri de la Tempête, Microbrasserie Charlevoix et Saint-Arnould, pour ne nommer que celles-ci. Les clients viennent souvent de loin pour faire le plein en bières de microbrasseries et Michel compte développer davantage ce créneau afin de positionner son marché comme une adresse incontournable pour les biérophiles. Il peut arriver quelques fois pendant l'année que certaines microbrasseries viennent organiser des dégustations sur place. Une excellente adresse !

Et aussi :

BOUCHERIE AU BŒUF BOURGUIGNON

423, boulevard Cartier Ouest
450-688-4444

DÉPANNEUR DUVERNAY (À-TOUT-PRIX)

2915, boulevard de la Concorde
450-661-5152

DÉPANNEUR WILSON

3875, boulevard Sainte-Rose
450-627-0485

SAUCISSERIE BAM

148, boulevard Sainte-Rose
450-937-9332

CHEZ LE BRASSEUR

À LA FÛT

670, rue Notre-Dame, Saint-Tite
418-365-4370
www.alafut.qc.ca

En été : dimanche-mercredi, 11 h-21 h (la cuisine ferme à 21 h) ; jeudi-samedi, 11 h-1 h (la cuisine ferme à 22 h). Le reste de l'année : dimanche-mardi, fermé ; mercredi, 16 h-22 h (la cuisine ferme à 21 h) ; jeudi-samedi, 11 h-1 h (la cuisine ferme à 22 h). Ouvert tous les jours durant le festival Western. Visite des installations brassicoles sur demande. Items à l'effigie de la brasserie en vente sur place. Terrasse.

Cette coopérative de travail est née de la rencontre entre trois ingénieurs. Initiés en 2004 au brassage artisanal et à l'art de servir la bière pression, l'idée d'ouvrir une microbrasserie a fait son bout de chemin et a mené à la création d'À la Fût en septembre 2007.

La maison qui abrite la microbrasserie et son resto-pub date de 1865 et son cachet architectural d'époque reste encore bien présent. C'est dans cette ambiance western que sont brassées et servies une dizaine de bières artisanales de la microbrasserie À la Fût, en plus des surprises saisonnières, des éditions limitées et des cuvées spéciales offertes selon la période de l'année. Un menu resto-pub à l'image des cowboys et mettant en vedette les produits de la région est offert sur place. Il suffit de penser aux différents burgers, aux côtes levées Rodéo, au fameux chili du général Zapata ou encore au délicieux Truite n' chip. À l'image de son beau village, À la Fût vous accueille dans un décor à saveur western et permet même aux cowboys de venir sur leur monture grâce à sa nouvelle attache à cheval !!! Plaisir garanti dans le pub tout comme sur la terrasse !

Leurs bières sont disponibles chez les détaillants spécialisés ainsi qu'en fût dans certains bars à bières de la province. Le resto-pub adjacent à la salle de production permet aux bièrophiles de découvrir La Crique, La British et La Mékinoise, pour ne nommer que celles-ci, à l'endroit même où elles sont brassées. D'ailleurs, l'équipe a remporté quatre médailles au Canadian Brewing Awards en 2012 ainsi que le titre tant convoité de « bière de l'année » pour sa Co-Hop V, une bière d'inspiration Rouge des Flandres vieillie en fût de chêne pendant 17 mois. Rien de moins. Bref, une belle équipe, des produits savoureux et des honneurs bien mérités !

Notre sélection à découvrir :

- ➔ ***La Bête Noire***, *Stout à l'avoine, 4.8 % (médaille d'argent au Canadian Brewing Awards 2012)*
- ➔ ***La British***, *Ale brune aux noix d'inspiration anglaise, 4.7 %*
- ➔ ***La Crique***, *Bière de blé aux cerises de type griottes, 4.8 % (médaille de bronze au Canadian Brewing Awards 2012)*
- ➔ ***La Ruine Papilles***, *India Pale Ale américaine, 6.2 %*
- ➔ ***La Tripe à Trois***, *Triple belge, 9.7 % (médaille d'or au Canadian Brewing Awards 2012 et médaille platine au Mondial de la Bière en 2010)*
- ➔ ***Ma Première Blonde***, *Pilsener, 5.4 %*

URBAD, UN CONCEPT UNIQUE EN SON GENRE

URBAD signifie « Unité de Refroidissement pour la Bière Artisanale à Domicile ». En effet, À la Fût offre ses bières en format de 5 & 10 litres. Vous pouvez donc vous équiper d'un distributeur de bière en fût ou d'un bar à la maison et vous procurer les barils d'À la Fût. Autre option : la glacière de service à deux robinets et CO2 intégré, disponible chez certains détaillants, qui permet un service de bar pour tous vos événements à domicile. La qualité de la bière en fût de microbrasserie est donc accessible chez soi. Vous retrouverez les fûts de 5 & 10 litres à la coopérative de travail À la Fût ainsi que chez quelques détaillants spécialisés. Pour plus d'information, visitez leur site Internet au www.urbad.ca ou contactez-les par téléphone au 418-365-4370.

BROADWAY PUB

540, avenue Broadway, Shawinigan
819-537-0044
www.broadwaypub.net
Pub : lundi-vendredi, 11 h-3 h ; samedi-dimanche, 12 h-3 h – la cuisine ferme tous les jours à 19 h. Plan B : ouvert le vendredi dès 22 h, le reste du temps sur réservation. Discothèque : vendredi-samedi, dès 22 h. Visite des installations brassicoles et dégustation sur réservation. Terrasse.

Le Broadway Pub, une adresse bien connue dans la région, existe depuis une quinzaine d'années. La tendance à la hausse de la consommation de bières de spécialité ainsi que la passion du propriétaire du Broadway, grand bièrophile dans l'âme, et son équipe ont mené à l'ouverture de la brasserie artisanale adjacente au pub, en décembre 2006. Depuis, la qualité et la diversité de leurs bières n'ont cessé d'attirer de nouveaux clients, à tel point qu'il fallait bien songer à embouteiller pour abreuver la population des quatre coins de la province. C'est chose faite depuis avril 2009 avec une dizaine de bières qui se retrouvent sur les tablettes de nos détaillants, nombre qui devrait encore augmenter dans un futur rapproché. La qualité de leurs produits vient d'ailleurs d'être soulignée lors du Canadian Brewing Awards en 2012 où le Broadway a fait bonne figure en remportant trois médailles, dont deux dans la catégorie « bière d'abbaye belge ».

Sur place, les lieux sont fréquentés par une clientèle éclectique qui vient y casser la croûte, boire une pinte de bonne bière artisanale entre amis au pub ou du côté du Plan B, ou se déhancher au son des DJs à la discothèque située au 3e étage. Concernant le Plan B, cette jolie salle, avec vue sur les installations brassicoles, peut être réservée pour des événements ou partys privés. De nombreux événements sont organisés au fil des mois comme des dégustations de bières, des spectacles, des soirées thématiques au Plan B, etc. Ce concept qui allie pub, bières artisanales et discothèque fonctionne à merveille et c'est définitivement une adresse à retenir pour ceux qui sont de passage en Mauricie. Comme le dit leur slogan : « 3 étages, 3 ambiances ! »

Notre sélection à découvrir :

- → ***Élixir de Belphégor***, *Vin d'orge vieilli en fût de chêne de Whiskey du Tennessee, 10.5 %*
- → ***L'Allumeuse***, *Lager allemande, 5 %*
- → ***Mary Poppins***, *Brown ale anglaise, 5 %*
- → ***Sein d'Esprit***, *Weizen allemande, 5 %*
- → ***Tchucké***, *Triple Belge blonde, 7 % (médaille d'argent au Canadian Brewing Awards 2012)*
- → ***Wescott***, *West Coast India Pale Ale (houblon de la côte ouest américaine), 7 %*

GAMBRINUS

3160, boulevard des Forges, Trois-Rivières
819-691-3371
www.gambrinus.qc.ca
Lundi-vendredi, 11 h-1 h ; samedi, 15 h-1 h ; dimanche, fermé. Forfaits de dégustation disponibles. Programmation culturelle et musicale. Terrasse.

Fondé en 1996 par Sophie Normandin et Marc Veillet et situé à proximité de l'Université et du Cégep de Trois-Rivières, Gambrinus a acquis au fil des ans une réputation notoire, tant auprès des jeunes étudiants qui se rencontrent ici après les cours qu'auprès des bièrophiles en quête d'une bonne pinte. Des recettes maison y sont brassées avec amour et patience au grand bonheur des amateurs de houblon. Il en résulte des bières très typées comme la Galarneau, une ambrée au nez de caramel, ou la Scotch Ale, une puissante brune au malt fumé et aux saveurs riches et caramélisées. Et pendant que vous y êtes, essayez l'incontournable India Pale Ale dont on parle bien au-delà des frontières de la région ! Par contre, pour découvrir les délices houblonnés de Gambrinus, il faut impérativement se rendre sur place car la petite brasserie artisanale n'embouteille aucun de ses produits. Des forfaits de dégustation sont d'ailleurs proposés afin de déguster six bières maison, avec ou sans saucisses (animation incluse). Pour les petits creux, Gambrinus propose une cuisine très variée, dont quelques plats à la bière maison : moules, grillades, hamburgers, braisés du roi, sandwichs chauds, nachos, salades… et la fameuse poutine ! Finalement, des spectacles musicaux, des expositions d'art visuel et autres événements se relayent au fil des mois. Un lieu chaleureux, fort sympathique où la bonne bière coule à flot !

Notre sélection à découvrir :

- → ***Bavaroise,*** *Ale dorée, ronde et maltée, élaborée avec des malts et houblons allemands, 5 %*
- → ***Bitter Spéciale***, *Ale brune riche et racée typiquement britannique, 6.5 %*
- → ***Cream Ale,*** *Ale ambrée, légèrement caramélisée, gazéifiée à l'azote, 5.5 %*
- → ***Framboise***, *Ale rosée naturelle, franc goût de fruit, désaltérante, 6 %*
- → ***Miel d'Ange,*** *Ale blonde au miel, moelleuse, 6.5 %*
- → ***Veuve Noire***, *Milk Stout, riche goût de café et malt grillé, 4 %*

LE TROU DU DIABLE

412, rue Willow, Shawinigan
819-537-9151
www.troududiable.com
Dimanche-mardi, 15 h-23 h ; mercredi-jeudi, 15 h-1 h ; vendredi-samedi, 15 h-3 h. Cuisine ouverte mardi-dimanche, 17 h-21 h. Visite des installations brassicoles et dégustation sur réservation.

En décembre 2005, cinq comparses ont mené à termes un projet longuement planifié et attendu : l'ouverture de la brasserie artisanale Le Trou du Diable. Mais d'où vient le nom de cette brasserie ? Le Trou du Diable, aussi appelé « Le Trou des mauvais Manitous » par les Amérindiens, est une formation géographique appelée « chaudron » se trouvant des les chutes de Shawinigan. La croyance folklorique veut que ce trou sans fond mène directement en enfer…

Sur place, on retrouve toujours douze de ses produits en pompe, en rotation selon les saisons et les humeurs, car c'est en tout plus d'une soixantaine de bières qui sont brassées ici au fil des mois (pour l'anecdote, renseignez-vous sur l'histoire qui entoure la nouvelle bière Shawinigan Handshake…). Il y en a tellement que nous vous conseillons de consulter leur site Internet pour vous mettre l'eau à la bouche ! D'ailleurs, outre les nombreuses récompenses reçues au fil des ans, la Buteuse, une ambrée triple d'abbaye, vient de se voir décerner la médaille d'argent au Canadian Brewing Awards 2012, catégorie « bière forte belge ».

Cette coopérative de travail offre, en plus de ses excellentes bières maison (dont plusieurs maturées en barriques de chêne), une cuisine fort colorée où mets d'ici et d'ailleurs se mélangent au grand profit de nos papilles gustatives. L'emphase est mise sur les produits d'artisans locaux afin de nous faire découvrir l'excellence de notre table, en plus de soutenir l'économie locale (assiette de fromages québécois, cerf rouge du Québec, filet de truite de St-Alexis…). Une foule d'événements allant d'expositions d'art visuel aux spectacles musicaux, en passant par les soirées de contes et les Lundis Douteux (www.douteux.org), sont organisés chaque semaine et pour les mordus de la bière, deux soirées « bières philosophales » se tiennent à chaque mois (en hiver seulement) sans oublier l'incontournable soirée des brasseurs en août. C'est ici que l'expression « refaire le monde autour d'une bonne bière » prend tout son sens !

Le Trou du Diable embouteille occasionnellement des produits réguliers ou des brassins spéciaux. Produit en très petite quantité, considérez-vous chanceux si vous mettez la main dessus car ils disparaissent rapidement des étalages. Mais ô bonheur, un 2e plan de travail d'une superficie de 15 000 pi^2 verra le jour sous peu, question de donner un essor industriel à sa production. La brasserie vise à moyen terme une capacité de brassage de 10 000 hectolitres, destinée presque exclusivement à l'embouteillage. Un salon de dégustation ainsi qu'un centre d'interprétation de la bière sont également au programme.

Notre sélection à découvrir :

→ ***Blanche de Shawi***, *Bière de blé de type Witbier belge, 5 %*

→ ***Dulcis Succubus***, *Ale forte de type Saison sauvage avec six mois de maturation en fûts de chêne de vin blanc botrytisé californien, 7 %*

→ ***L'Amère Indienne***, *India Pale Ale américaine, 6 %*

- **La Buteuse Brassin Spécial**, *Ale extra-forte fermentée grâce à trois levures différentes et vieillie quatre mois en fût de chêne américain ayant hébergé le brandy de pomme de la cidrerie Michel Jodoin, 10 %*
- **La Grivoise de Noël**, *Ale forte inspirée des bières de Noël, 7.5 %*
- **Le Sang d'Encre**, *Irish Stout, 5.5 %*

LES FRÈRES HOUBLON

10 180, chemin Sainte-Marguerite, Trois-Rivières
819-380-8307
www.lesfrereshoublon.com

À l'origine des Frères Houblon, on retrouve trois produits régionaux trifluviens : Frédéric Soubrier, David Lafrenière et Louis-Jean Doesburg. Les trois anciens étudiants de l'Université du Québec à Trois-Rivières se sont lancés dans l'aventure brassicole en janvier 2003. Leur passion pour le houblon remonte au moment où Frédérick et Louis-Jean étudiaient ensemble à l'école secondaire. Ils ont commencé à brasser à cette époque, avant même d'avoir l'âge légal pour boire de la bière. Quelques années plus tard, alors qu'il était à Caen en Normandie pour un voyage d'études, Frédérick rencontra Alain Debourg, chercheur en bio-alimentation et spécialiste de la bière à l'institut Meurice en Belgique. Ses conseils et enseignements sur la levure ont été l'élément déclencheur qui a convaincu Frédérick de mettre en branle le projet de microbrasserie avec David et Louis-Jean, ce dernier ayant quitté la coopérative en 2005. Les Frères Houblon ont concocté une vingtaine de recettes, allant de la blanche de blé et d'avoine à la brune de type belge, dont des éditions limitées et des cuvées spéciales. Leurs bières sont disponibles dans de nombreux points de vente à travers la province.

Notre sélection à découvrir :

- **Blanche aux bleuets**, *Bière blanche brassée avec du blé cru, de l'avoine et des bleuets, 6.5 %*
- **Coureur des Bois,** *Ale forte de type belge, 8 %*
- **Fontaine du Diable,** *Ale brune de type belge, 7.7 %*
- **La Brunante,** *Bière de fermentation double à mi-chemin entre une Scotch Ale et une Rouge des Flandres, 8 %*
- **Réserve,** *Ale forte à double fermentation avec quatre variétés de houblons, 7.3 %*
- **Saint-Sévère,** *American Pale Ale (100 % de l'orge malté provient de producteurs écologiques de la Mauricie, 7.2 %*

MICROBRASSERIE NOUVELLE-FRANCE

90, Rang Rivière aux Écorces, Saint-Alexis-des-Monts
819-265-4000
www.lesbieresnouvellefrance.com
Lundi-dimanche, 11 h-fermeture (selon l'affluence). Table aux saveurs du terroir certifiée.

Aux limites de la Mauricie, une brasserie artisanale, issue de la collaboration d'un maître-brasseur belge et d'entrepreneurs québécois, a vu le jour en 1998. D'abord brassées pour étancher la soif des touristes en visite sur place, les bières de la Microbrasserie Nouvelle-France se sont rapidement retrouvées sur les tablettes des détaillants spécialisés en bière. Elles ont comme particularité d'être brassées en utilisant une bonne portion de grains crus d'utilisation ancestrale comme le riz, l'épeautre et le sarrasin. La malterie expérimentale que possède cette microbrasserie lui a permis de pousser les recherches vers l'utilisation de nouveaux malts et d'élaborer deux bières sans gluten : les Messagères (ale blonde, ale rousse et lager). Il est possible de visiter la brasserie et son centre d'interprétation des métiers d'art et d'agroalimentaire (réseau Économusée) pendant la saison touristique (pour groupes de 10 personnes et plus, 6 $ par personne).

Un bistro et une boutique font également partie des services offerts par la microbrasserie. Imaginez pouvoir vous retrouver dans une auberge de l'époque de la Nouvelle-France où festivités, musique, convivialité, boustifaille et bonne bière règnent en rois et maîtres… C'est le concept même du restaurant de la Microbrasserie Nouvelle-France. Le personnel, vêtu du costume traditionnel de l'aubergiste du 17e siècle, vous fera découvrir une cuisine régionale servie « à la bonne franquette », sans oublier les bières de l'excellente microbrasserie. Afin de vivre pleinement l'expérience, deux forfaits sont disponibles afin d'initier les visiteurs au merveilleux monde la bière : Forfait Brasseur (visite des installations de brassage avec animateur et palette de dégustation) et Forfait Brasseur Gourmand (inclut en plus des bouchées concoctées à base de bière). Avant de partir, n'oubliez pas de faire un arrêt à la petite boutique artisanale où bières, produits du terroir, chopes, artisanat et autres vous séduiront.

Notre sélection à découvrir :

- → **Ambrée de sarrasin,** *Ale ambrée d'orge et de sarrasin, 5 %*
- → **Blonde d'épeautre,** *Ale blonde d'orge et de blé ancestral, 5 %*
- → **Claire Fontaine**, *Ale blonde d'orge et de riz, 4.5 %*
- → **La Messagère Millet**, *Lager de millet sans gluten, 4 %*
- → **La Messagère Rousse**, *Ale de riz et de sarrasin sans gluten, 5 %*
- → **Nouvelle-France Rouge**, *Ale rousse d'orge maltée, 4.5 %*

AUBERGISTE, À BOIRE !

ÉCO-CAFÉ AU BOUT DU MONDE

3550, chemin des Trembles, Saint-Paulin
819-268-2555 / 1 800-789-5968
www.baluchon.com
Ouvert tous les jours (horaire variable selon la saison). Menu à la carte : moins de 25 $. Table aux saveurs du terroir certifiée. Épicerie fine sur place.

Situé sur le site champêtre de l'Auberge Le Baluchon, ce café éco-gastronomique fait la promotion de l'alimentation de proximité et de la cuisine régionale, tout en favorisant la production naturelle et biologique. Des spécialités du terroir comme le filet de truite poêlée et déglacée au vin blanc, les saucisses bio avec choucroute maison, ou encore la cuisse de pintade confite farcie de bacon de sanglier vous mettront l'eau à la bouche. Pour les petits appétits, entrées, salades, sandwichs grillés, planchettes de produits régionaux ou encore pizzas figurent au menu, sans compter le sublime gâteau au fromage et bleuets citronné du côté des douceurs. On retrouve aussi une très grande variété de thés provenant des quatre coins de l'Asie, du café bio-équitable, une excellente carte des vins et les bières artisanales de l'Alchimiste, des Frères Houblon, du Trou du Diable, de À la Fût et de la Microbrasserie Nouvelle-France (palettes de dégustation disponibles).

LE TRÈFLE – TAVERNE IRLANDAISE

363, rue des Forges, Trois-Rivières
819-370-3636
www.letrefle.ca
Lundi-vendredi, 12 h-3 h ; samedi-dimanche, 13 h-3 h. Terrasse.

Impossible de rater la belle devanture toute de noir et de bois vêtue. Un petit air *british* en plein cœur du centre-ville de Trois-Rivières ! Les lieux arborent un cachet indéniable : murs de pierre, planchers de bois franc, bar à surface en cuivre et plafond antique datant du début des années 1900. On y vient pour boire un verre entre amis en fin de journée, pour regarder un match sportif sur un des écrans HD, ou pour faire la fête en soirée jusqu'aux petites heures. L'amateur de houblon dans toutes ses déclinaisons sera ici ravi avec plus de 100 variétés de bières et une soixantaine de whiskies et de scotchs. Côté bières, les avenues sont multiples, surtout en ce qui a trait aux produits en bouteille. Très belle sélection de bières belges, dont des crus trappistes et d'abbaye en importation privée. Le Québec occupe aussi une place de choix avec, à l'ardoise, les bières de Dieu du Ciel !, de la Microbrasserie Nouvelle-France, de McAuslan, des Brasseurs Illimités, des Brasseurs du Monde, de la Compagnie de bière Brisset, du Broadway Pub, de Boréale, etc. Pour accompagner votre pinte, plusieurs spécialités sont proposées dont le sandwich européen, le smoked meat style Montréal, le ragoût d'agneau irlandais, les flamms, les assiettes de saucisses, et une panoplie d'amuse-gueules. Céad míle fáilte ! *(Bienvenue cent mille fois !)*

MARCHANDS DE BONHEUR

LA BARIK

4170, boulevard des Forges, Trois-Rivières
819-694-0324
www.labarik.com
Lundi-mercredi & samedi, 9 h 30-20 h ; jeudi-vendredi, 9 h 30-21 h 30 ; dimanche, 11 h-18 h. Paniers-cadeaux sur mesure, verres à bière en vente sur place.

On sait qu'on ne s'est pas trompé d'adresse en arrivant devant La Barik! Les caisses de bières trônent dans la vitrine et les enseignes sont synonymes de houblon. Plus de 70 brasseurs différents sont ici représentés. Il ne reste qu'à faire rapidement le calcul pour constater la grande diversité de bières disponibles. On y retrouve donc à juste titre la plus belle sélection dans la région et son personnel est bien formé pour vous donner des conseils judicieux. La Barik, c'est également une petite boutique du terroir où se retrouvent chocolat, beurres, confitures, cidres, terrines, épices, fromages, vinaigrettes, moutardes, produits de l'érable et plus encore.

Si vous désirez vous informer des nouveaux arrivages de bières, ou tout simplement consulter la disponibilité en magasin de certains produits, leur site Internet contient une liste à jour des nouveautés et un moteur de recherche pour les bières.

Et aussi :

MARCHÉ DU BOISÉ

7055, boulevard des Forges, Trois-Rivières
819-373-0254
www.marcheduboise.com

CHEZ LE BRASSEUR

BEDONDAINE & BEDONS RONDS

255, rue Ostiguy, Chambly
450-447-5165
www.bedondaine.com

Lundi, fermé ; mardi-mercredi, 15 h-minuit ; jeudi-samedi, 11 h 30-1 h ; dimanche, 11 h 30-23 h. Visite des installations brassicoles et dégustation sur demande. Programmation culturelle et musicale. Terrasse.

Le premier brasseur artisanal de Chambly a ouvert ses portes en avril 2005. Le propriétaire-brasseur est Nicolas Bourgault qui s'était formé la main dans diverses brasseries pendant dix ans. L'intérieur est un véritable petit musée, avec les horloges de compagnie de bières d'une autre époque, la collection de bouteilles et barils de bois, les plateaux, et les panneaux de réclames qui ornent les murs. Au total, 26 000 items anciens et actuels, composent la collection du musée dont environ 1/5 décore le salon de dégustation. À voir !

Côté houblon, plus de 60 bières sont brassées annuellement ou encore en édition limitée sur place sous vos yeux, avec une constance de 19 aux pompes. D'ailleurs, en mai 2012, la brasserie fut honorée par l'équipe du festival Bières et Saveurs de Chambly en recevant sa plaque « Coup de Cœur », concours remporté lors de l'édition 2011 de l'événement. Ceux désirant savoir si leur bière préférée est disponible peuvent visiter le site Internet où des icônes nous permettent de savoir lesquelles sont offertes et celles à venir sous peu, à leur sortie des cuves de fermentation. Vous hésitez ? Essayez leur palette de dégustation et pour les plus curieux, profitez des visites de l'atelier de production. Les amateurs de produits plus corsés seront ravis par la sélection de Scotchs Single Malt qui compte plus de 140 références. Pour les petits creux, sandwichs sur pain baguette artisanal, pizzas, nachos de luxe, croques-en-bouche, assiette de terrines et plateau de fromages viendront assouvir votre faim.

Notre sélection à découvrir :

- ***L'Amère Veilleuse***, *Ale ambrée extra bitter, 6 additions de houblons et houblonnage à cru, 6 %*
- ***L'Ensorceleuse***, *Ale au miel de fleurs sauvages, graines de coriandre et écorces d'orange, 7 %*
- ***La Dernière Brosse***, *Extra Stout, 7 %*
- ***La Grenouille***, *Bière de blé de type Witbier belge au thé vert, 5 %*
- ***La Noix de Marmotte***, *Ale brune d'inspiration anglaise, 6 %*
- ***La Reyne descosse***, *Scotch Ale, 8 %*

LES LABORATOIRES MASKA

Pour les bièrophiles avancés dans la fabrication de bières, ou pour les professionnels qui souhaitent démarrer une entreprise brassicole, les Laboratoires Maska sont des spécialistes consultants (développement de produits, analyses microbiologiques, propagation de levure, implantation de système de contrôle de la qualité, réduction des coûts d'opération, etc.). Des cours de brassage de la bière (niveaux débutant et avancé) et de manipulation des levures sont également offerts. Il est à noter que Les Laboratoires Maska est une entreprise indépendante spécialisée dans les domaines brassicole, vinicole et cidricole.

Pour plus d'informations: www.maskalab.com ou 450-261-1468.

BRASSERIE SAINT-ANTOINE-ABBÉ

3299, Route 209, Saint-Antoine-Abbé (Franklin)
450-826-4609
www.brasserie-saint-antoine-abbe.com

Visite des installations brassicoles et apicoles avec dégustation offertes sur réservation. Réceptions tous genres, table gourmande aux saveurs du terroir. Section jardin terrasse avec chapiteau pour réceptions, expositions, cocktails, méchouis. Ouvert à l'année sur réservation.

La Brasserie Saint-Antoine-Abbé, qui forme un complexe avec la miellerie, l'hydromellerie, le restaurant, la galerie d'art et le jardin terrasse avec chapiteau, constitue une destination privilégiée pour les sorties en bonne compagnie. Découvrez avec plaisir le raffinement et la distinction de la gamme des bières Saint-Antoine-Abbé: la blanche, la blonde au miel, la Pale Ale, la bière au pamplemousse, la dorée, la rousse et la bière à l'épinette, toutes en format de 500 ml disponibles dans les dépanneurs et épiceries spécialisés. Toutes leurs bières sont produites à partir de grains et pour certaines, avec ajout de miel ou de fruits selon la recette. Étant toutes refermentées en bouteille, cette méthode de production leur confirme le statut de « naturelles ».

Située dans un décor campagnard très accueillant, il est aussi possible d'y organiser des repas champêtres à partir de la cuisine du terroir. La magnifique salle à manger au décor exceptionnel, qui s'élève en hauteur, est éclairée de toute part par la lumière du jour grâce à une fenestration intégrale, avec accès direct à la terrasse. Pour ce type d'activité et pour les visites guidées, il est préférable de réserver à l'avance.

Notre sélection à découvrir:

→ ***Saint-Antoine-Abbé Bière à l'épinette,*** *Bière à l'épinette, 5 %*
→ ***Saint-Antoine-Abbé Blonde au miel,*** *Ale blonde au miel, 5 %*
→ ***Saint-Antoine-Abbé Dorée,*** *Ale dorée, 5 %*
→ ***Saint-Antoine-Abbé Pale Ale,*** *Pale Ale américaine, 5 %*
→ ***Saint-Antoine-Abbé Pamplemousse,*** *Ale blonde aux pamplemousses, 5 %*
→ ***Saint-Antoine-Abbé Rousse,*** *Ale Rousse, 5 %*

BRASSERIE TCHÈQUEBEC

4245, route Marie-Victorin, Contrecœur
450-587-2122
Salon de dégustation : lundi, fermé ; mardi-dimanche, 12 h-18 h. Visite des installations brassicoles et dégustation sur réservation. Items à l'effigie de la brasserie en vente sur place.

Cette microbrasserie, en opération depuis janvier 2010, nous offre un petit coin de République Tchèque en plein cœur du Québec. Josef Peterka, l'heureux propriétaire des lieux et brasseur, avait en tête ce projet depuis un certain moment. Le but avoué était de produire des bières qui goûteraient exactement comme celle de ce pays européen. La solution fut trouvée lors d'un séjour à l'Institut RIBM de Prague (*Research Institute of Brewing and Malting)*, le plus vieux centre de recherche au monde sur la bière. Le moût produit à cet institut, composé entièrement de produits locaux et confectionné selon les techniques traditionnelles, est ensuite partiellement déshydraté pour faciliter l'envoi et la conservation. TchèqueBec est donc la première microbrasserie de la province à utiliser ce procédé. Notez que Josef part souvent en République Tchèque pour assister à la fabrication de son moût et y apporter quelques variations lors de l'hydratation.

La lager TchèqueBec se décline en cinq variations qui diffèrent en pourcentage d'alcool. Dès cet automne, on devrait voir également apparaître une Schwarzbier de style tchèque. Ses produits sont disponibles en fût dans certains bars à bières comme le Bílý Kůň à Montréal, le restaurant Prague à Montréal, le restaurant Bohemia à Brossard et le bistro L'Autre Œil à Gatineau. On retrouve également les bières TchèqueBec en format de 2 litres chez les détaillants spécialisés. Un petit salon de dégustation attenant aux installations vous permet aussi de découvrir ses produits à l'endroit même où ils sont brassés.

Notre sélection à découvrir :

→ ***Pilsener 11°***, *Pilsener, 4.4 %*

→ ***Pilsener 12°***, *Pilsener, 5.1 %*

→ ***Pilsener 13°***, *Pilsener, 5.3 %*

BRASSEURS DU MONDE

6600, boulevard Choquette, Saint-Hyacinthe
450-250-2611
www.brasseursdumonde.com
Dimanche-mardi, fermé ; mercredi, 15 h-22 h ; jeudi-samedi, 15 h-minuit. Horaire sujet à changements. Items à l'effigie de la microbrasserie et bières pour emporter en vente sur place. Visite des installations brassicole et dégustation sur réservation.

La microbrasserie, qui vient de souffler ses premières bougies le 7 juillet 2012, a décidemment le vent dans les voiles. Le président-directeur général, Gilles Dubé, caressait le rêve d'avoir sa microbrasserie depuis un moment. Fort de son expérience dans le milieu brassicole, en gestion d'entreprises et en vente, il a su flairer la bonne affaire avec l'explosion du milieu de la bière au Québec. Et il faut dire qu'il s'est également très bien entouré ! Une équipe solide et passionnée où la force de chacun est fort bien canalisée. Le maître du fourquet et copropriétaire n'est nul autre que Dominic Charbonneau, anciennement à la brasserie artisanale Le Saint-Bock et maintes fois récompensé pour la qualité et la créativité de ses produits. Il fait partie de ces grands brasseurs qui œuvrent à redonner à la bière ses lettres de noblesse.

Les Brasseurs du Monde, comme son nom l'indique, vise à faire découvrir les influences brassicoles des quatre coins de la planète. Le mot d'ordre : la créativité et l'engagement envers les consommateurs. Les savoureux produits de la microbrasserie se classent en trois gammes régulières : la gamme Sympathique qui propose trois bières de consommation courante, soit une blanche, une blonde et une rousse (caisse de 12 bouteilles mixtes disponible); la gamme Les Connaisseurs où le bièrophile a droit à des bières plus goûteuses et inspirées, soit une Double belge brune 8, un Stout moka et une IPA américaine 90 minutes à 100 IBU; puis la gamme Passion qui vise à surprendre vos papilles avec des produits aussi typés dans un format 500 ml. D'autres gammes sont disponibles telles la Hors Série qui comprend des bières saisonnières comme L'Infusée, une blanche aux trois thés, ou encore la Collection La Réserve du Picoleur qui suit l'humeur du brasseur pour l'obtention de bières artisanales hors du commun. Pensons d'ailleurs à leur Porter de glace, une grande première au pays! Et puis, il y a aussi la Saison Impériale, produite une fois l'an, des bières de garde… De quoi vous donner amplement le choix et surtout, le goût de la découverte! De plus, la microbrasserie collabore avec des brasseurs artisanaux et concocte des bières de marques privées. On retrouve les bières des Brasseurs du Monde dans 325 points de vente à travers la province ainsi qu'aux pompes d'une quinzaine d'établissements licenciés. Les choses allant bon train, l'exportation se met en branle et on devrait voir leurs produits sur les tablettes de détaillants américains, de l'Ouest canadien et même au Mexique. Nous vous conseillons également d'aller faire un tour à leur salon de dégustation, Le Picoleur, adjacent aux installations de brassage. On y retrouve une constance de seize bières aux pompes, dont certaines exclusives au salon tel le fameux Porter de glace. Et ne quittez pas les lieux sans un arrêt à leur boutique, question de rapporter Les Brasseurs du Monde à la maison!

Notre sélection à découvrir :

- → ***Big Ben Porter****, Porter, 5.5 %*
- → ***Houblonnière****, Ale blonde houblonnée, 5.2 %*
- → ***L'assoiffé 8****, Double belge brune, 6.5 %*
- → ***L'exploité****, Stout moka, 6.5 %*
- → ***L'interdite****, India Pale Américaine 100 IBU, 6.5 %*
- → ***Saison Tradition****, Ale fermière sur lie, 5.2 % (récipiendaire Or au concours MBière 2012)*

FERME BRASSERIE SCHOUNE

2075, rue Sainte-Catherine, Saint-Polycarpe
450-265-3765 / 1 877-599-5599
www.schoune.com
Visite des installations brassicoles et dégustation sur réservation.

La Ferme-Brasserie Schoune tient son nom de ses propriétaires d'origine belge. Concept d'entreprise assez rare en Amérique du Nord, les fermes-brasseries étaient autrefois monnaie courante en Europe. Cette caractéristique de l'entreprise lui permet de produire sur la ferme familiale une grande partie des matières premières servant à l'élaboration de ses bières.

La Ferme-Brasserie Schoune produit des bières refermentées en bouteilles auxquelles on ajoute une panoplie d'épices mystérieuses, tenues jalousement secrètes par la famille. Les Schoune ont le désir de produire des bières de grande qualité possédant des caractères très distinctifs. Depuis les débuts de la brasserie, avec près d'une cinquantaine de recettes en poche, plusieurs bières ont remporté au moins une médaille dans des concours d'envergure internationale. D'ailleurs, comme nul n'est prophète en son pays, la grande partie de la production est exportée vers l'étranger. Les bières Schoune peuvent donc être dégustées en Suisse, en Belgique, en France, aux États-Unis, à Hong Kong, au Mexique, au Danemark et en Suède.

En 2008, les Schoune ont créé une bière 100 % québécoise, la Rur'Ale. Un demi-arpent de leurs terres a été aménagé pour la culture du houblon ce qui lui a permis d'avoir une palette plus riche d'arômes. Cette culture exige cependant une bonne dose de labeur et cette bière doit être appréciée à la hauteur des efforts mis de l'avant pour la concocter.

Notre sélection à découvrir :

- → ***Douce Caresse***, *Bière de blé aux abricots, 4 %*
- → ***Imperial Stout***, *Imperial Stout, 8.5 %*
- → ***L'Érable Rouge***, *Ale ambrée maltée se finissant sur la douceur boisée de l'érable, 5 %*
- → ***La Belge***, *Ale blonde d'inspiration belge, 7 %*
- → ***La Porter***, *Porter, 5 %*
- → ***La Trip des Schoune***, *Ale spéciale brassée avec quatre épices et vieillie pendant 5 mois, 8 %*

LE BILBOQUET

1850, rue des Cascades, Saint-Hyacinthe
450-771-6900
www.lebilboquet.qc.ca
Lundi, 18 h 30-3 h ; mardi-dimanche, 15 h-3 h.
Programmation culturelle. Visite des installations brassicoles et dégustation sur réservation pour les groupes de 5 personnes et plus.

Le Bilboquet a été fondé en 1990 et après avoir transformé une partie de l'établissement en salle de brassage, c'est le 17 février 1994 que les premières bières maison sont servies : la Métayer blonde, rousse et brune. François Grisé, après avoir terminé une formation en gestion hôtelière, a acheté le commerce en 1996 et confia le contrôle de la brasserie à Jean-Sébastien Bernier. C'est maintenant Benoît, le frère de François, qui gère avec ce dernier la brasserie.

En croissance constante, le Bilboquet se spécialise dans la production de produits brassicoles de dégustation. Une grande variété de bières de qualité y sont brassées, dont 12 que vous pourrez déguster sur place. Les bières du Bilboquet sont présentement distribuées à travers un réseau de 400 détaillants privés ainsi qu'à la SAQ.

Si vous êtes de passage dans la région, allez découvrir les lieux afin de savourer des bières exclusives seulement offertes sur place. Situé en plein cœur du centre-ville de Saint-Hyacinthe, ce bistro de quartier s'est rapidement démarqué par ses bières de microbrasserie et par son ambiance chaleureuse. Pionnier de brassage artisanal au Québec, l'établissement compte aujourd'hui 180 places intérieures réparties en 3 sections distinctes et 60 places extérieures donnant sur une superbe terrasse. Pour casser la croûte, la brasserie offre un petit menu où paninis, plateaux de saucisses et olives, et nachos, pour ne nommer que ceux-ci, font bonne figure. Lors de la belle saison, la cour arrière est un véritable havre de paix, loin de l'agitation urbaine, parfaite pour prendre le temps de savourer leurs délices houblonnés.

Outre les visites commentées de la brasserie, l'établissement offre à sa clientèle divers équipements audio-visuels, un réseau Wifi, une table de billard et une section privée sur demande. De plus, ils offrent un service de traiteur pour les réceptions plus élaborées.

Les bières du Bil: pour les amateurs en quête d'une nouvelle expérience gustative!

Notre sélection à découvrir:

→ **Colonel Cornwallis,** *India Pale Ale, 5.5 %*

→ **L'Affriolante**, *Ale au miel et épices, 7 %*

→ **L'Archange,** *Hefe Weizen (Ale blanche d'inspiration allemande), 5 %*

→ **La Bienfaisante**, *American Pale Ale, 5 % (les profits sont versés à l'Aide pédagogique aux Adultes et aux Jeunes, un organisme de la régiontt venant en aide aux personnes qui éprouvent des difficultés en lecture et en écriture.*

→ **La Corriveau,** *Stout à l'avoine, 6.2 %*

→ **MacKroken Flower**, *Scotch ale au miel, 10.8 %*

LES 3 BRASSEURS

Quartier Dix30 : 9316, boulevard Leduc, Brossard
450-676-7215
www.les3brasseurs.ca
Dimanche-mercredi, 11 h 30-minuit ; jeudi, 11 h 30-1 h ; vendredi-samedi, 11 h 30-2 h. Terrasse.

Se référer à la section « Montréal » pour plus d'information.

LOUP ROUGE, ARTISAN BRASSEUR

44, rue Prince, Sorel-Tracy
450-551-0660
www.artisanbrasseur.com
Ouvert du lundi au samedi dès 15 h (horaire sujet à changement).
Fermeture de la cuisine à 21 h. Service de traiteur personnalisé.

Le nom de cette brasserie artisanale rend hommage à un homme, Wolfred Nelson dit « Loup Rouge », qui vécu au 19e siècle et passa sa vie à soigner le

BLACK BARN BREWERY : BIEN DE CHEZ-NOUS ET À DÉCOUVRIR !

Si vous lisez l'incontournable bimestriel Bières et Plaisirs, vous avez sûrement lu les savoureuses chroniques d'Étienne Turcotte. Passionné de bières jusqu'au bout des ongles et fervent brasseur maison depuis près de 10 ans, c'est un aventurier du goût et des styles. Il y a quelques années, il s'est lancé dans le développement de plus d'une trentaine de recettes sous l'étiquette Black Barn Brewery, un branding créé par Yann Rodrigue qui l'aide dans la conception des étiquettes et de l'image de cette brasserie « non officielle ». En effet, le tout est brassé dans le garage des parents d'Étienne et bientôt dans le garage de sa nouvelle maison, à quelques pas de Montréal en Montérégie. Ayant suivi deux cours avec Michel Gauthier, Étienne a su perfectionner ses techniques au point même où il a développé son propre système de brassage surnommé « Brutus ». Et ses recettes, fort créatives et expérimentales, connaissent un franc succès auprès des amateurs conviés aux dégustations : Doppelbock à l'eau d'érable, Dortmunder Adambier, American Nut Brown Ale, Coffee Cocoa Milk Stout, Russian Imperial Stout Tequila, Bière d'abbaye Dark... Mais la bière qui a décidemment fait le plus jaser est sans contredit sa Black IPA à 1 150 IBU ! Sachez qu'Étienne participe chaque an au X de Mille, un concours de brassage amateur, où il remporte à tout coup au moins un podium. Le rêve d'Étienne : avoir sa propre brasserie artisanale ou encore une microbrasserie qui s'occuperait de brasser des bières vendues à des succursales de Black Barn Brewery. L'embouteillage ne fait pas partie des plans immédiats. Tout est une question de local et Étienne envisage de s'implanter sur la Rive-Sud ou encore à Montréal. Question de se financer mais également d'apporter une nouvelle facette aux cours de brassage, il aimerait en donner mais avec côté pratique qui manque souvent à de tels cours. Bref, un nom à retenir et un projet à suivre de près ! Pour plus d'informations, consultez la page Facebook « Black Barn Brewey ».

peuple et à défendre ardemment les valeurs québécoises en tant que patriote bas-richelois et élu de Sorel et Montréal. Mais Loup Rouge, c'est aussi une brasserie artisanale située dans la belle région de Sorel-Tracy. Cette coopérative de travail fondée par Jan-Philippe Barbeau, Martin Robichaud et Guillaume Gouin, tous brasseurs artisans dans l'âme, se veut un acteur dans le développement économique et social de sa région en favorisant une grande collaboration avec les partenaires locaux. Ces trois comparses bièrophiles désiraient inscrire Sorel-Tracy sur la Route des Bières mais également, créer un lieu d'échange et de discussion, de découvertes gustatives et intellectuelles.

Découvertes gustatives d'abord avec un menu d'excellentes bières brassées maison avec une constance de près d'une dizaine aux pompes. La brasserie devrait se doter sous peu de barils de chênes afin de faire du vieillissement spécial en bouteille. De nouvelles recettes ainsi qu'une série mono-houblon font également partie des projets en cours. Si la plupart des bières se trouvent en fût ou en bouteille uniquement sur place, la brasserie travaille à l'occasion avec d'autres micros afin faire découvrir ses produits au reste de la province. Pour accompagner votre pinte, de bons petits plats comme la pizza végé, le sandwich saucisse-choucroute-moutarde, ou encore l'assiette gourmande figurent au menu.

Découvertes intellectuelles ensuite avec des projections de films de répertoire et de documentaires sociaux, de conférences sur des sujets variés, des expositions, sans oublier bien sûr des spectacles musicaux avec des artistes de la relève et d'autres plus connus. De loin l'endroit le plus sympathique et authentique de la région!

Notre sélection à découvrir :

- → **Chapeau Noir**, *Sweet Stout à l'avoine, 6.5 %*
- → **Colère Noire**, *Black IPA, 5.5 %*
- → **Île-de-Grâce**, *India Pale Ale américaine, 5.5 %*
- → **L'Étoile du Brasseur**, *Saison double, 8.5 %*
- → **MacKroken Flower**, *Scotch ale Wee Heavy au miel de fleurs sauvages, 9.5 %*
- → **No. 45**, *Hefe Weizen (Ale blanche d'inspiration allemande), 4.5 %*

MICROBRASSERIE LE CASTOR BREWING CO.

67, chemin des Vinaigriers, Rigaud
450-451-2337
www.microlecastor.ca

Ouvert le samedi de 10 h à 16 h pour les dégustations et l'achat de bières pour emporter. En dehors de ces heures, contactez la microbrasserie pour un rendez-vous. L'horaire sera bonifié au cours des prochains mois. Visite des installations brassicoles avec dégustation offerte selon la disponibilité de l'équipe ; pour les groupes de 10 personnes et plus, réservation requise.

Située à l'extrême ouest de la Montérégie, Le Castor nous propose rien de moins que des bières certifiées « 100 % biologique ». Aux commandes de cette nouvelle adresse, deux charpentiers de métier fous de la bière : Daniel Addey-Jibb et Murray Elliott. Propriétaires de l'entreprise Charpenterie Traditionnelle Hamlet (*Hamlet Heavy Timberwork*), nos deux comparses sont des passionnés des méthodes traditionnelles et artisanales, deux éléments qui cadrent parfaitement avec le métier de brasseur. C'est lors de leurs études au Royaume-Uni qu'ils découvrirent la bière traditionnelle anglaise et écossaise. Une autre passion était née! Le brassage maison débuta peu après et avec le ralentissement de la demande dans le domaine de la charpenterie, l'idée fit son bout de chemin. S'en suivent alors un cours avec Michel Gauthier, leur consultant depuis les tous débuts, ainsi qu'avec Pascal Desbiens de la défunte microbrasserie AMB | Maître Brasseur. Naquît alors la microbrasserie Le Castor au printemps 2012, bien installée dans les locaux adjacents à l'entreprise de charpenterie. Le nom fait d'ailleurs un beau clin d'œil à leur formation première.

Les bières concoctées à la Microbrasserie Le Castor prennent leurs inspirations dans ces découvertes houblonnées faites en Angleterre et en Écosse, mais également lors de visites de distilleries dans ces deux endroits. Ainsi, les deux acolytes nous réservent de belles surprises vieillies en fût de chêne, de rye ou de bourbon et ce, chaque mois. L'idée n'est pas pour nous déplaire! Au moment de la rédaction, trois bières étaient disponibles, soit une Summer Ale, une West Coast Pale Ale et un Oatmeal Stout. Parmi les délices à venir, notons au Wee-Heavy Bourbon et une Triple belge vieillie en fût de chêne. Disons que Daniel et Murray établissent un véritable parallèle entre leurs deux passions et le vieillissement en tonneaux fait partie de leur philosophie de brassage. Vous pouvez vous procurer leurs bières sur place ou encore dans la grande région de Montréal chez les marchands spécialisés, en format de 660 ml et 1.9 litres (growlers), ainsi que dans certains établissements faisant honneur aux bières de microbrasserie tels le Saint-Graal à Sainte-Thérèse ou encore Le Baril Roulant à Val-David. Au fil des mois, leur champ de distribution devrait s'élargir dans la province.

C'est ici que l'expression « une bière bien charpentée » prend tout son sens !

Notre sélection à découvrir :

- → ***Blonde Côte Ouest****/West Coast Pale Ale, 5 %*
- → ***Blonde Estivale****/Summer Ale, 5.8 %*
- → ***Tonnerre Noire****, Bourbon Barrel Aged Russian Imperial Stout, 10 %*
- → ***Tripel Chêne****, Oak Aged Belgian Tripel, 8.5 %*
- → ***Stout à l'Avoine****/Oatmeal Stout, 5 %*
- → ***Wee Heavy Bourbon****, Bourbon Barrel Aged Scotch Ale, 10 %*

MICROBRASSERIE LES TROIS MOUSQUETAIRES

3755-C, boulevard Matte, Brossard
450-619-2372 / 1 866-619-2372
www.lestroismousquetaires.ca
Un salon de dégustation devrait éventuellement ouvrir sur place. Renseignez-vous avant de vous y rendre.

Après avoir été collègues de travail pendant une vingtaine d'années chez Imperial Tobacco, Sylvain, Daniel et Sylvain ont commencé à chercher les opportunités qui s'offraient dans le milieu brassicole québécois. En juin 2004, les associés achètent l'équipement d'Express-broue pour les déménager de Saint-Eustache à Brossard. Trois mois plus tard, leurs bières se retrouvent chez les détaillants spécialisés. Le maître brasseur, Jonathan Lafortune, un jeune homme qui s'était démarqué au niveau provincial lors de certains concours de brassage amateur, est arrivé dans l'équipe un peu à la façon de d'Artagnan (clin d'œil ici à leur excellente lager blonde d'inspiration allemande désormais appelée Trois Mousquetaires Blonde). Huit mois après le début de leurs activités, on pouvait retrouver les produits des Trois Mousquetaires dans plus d'une centaine de points de vente à travers la province.

Il y a quelques années, soit en 2008, la microbrasserie changea son image, tant sur les bouteilles que dans le nom de ses bières. Ainsi, la D'Artagnan est devenue la Trois Mousquetaires Blonde, L'Aramis, la Trois Mousquetaires Rousse, et ainsi de suite. Deux séries de bières ont également vue le jour pratiquement au même moment : la Série Signature qui comprend six produits (Pale Ale Américaine, Kellerbier, Rauchbier, Sticke Alt, Maibock et la nouvelle Hopfenweisse), et la Série Grande Cuvée qui propose trois bières fortes (Porter Baltique, Doppelbock et Weizenbock). Les Trois Mousquetaires utilisent également une bonne proportion de malt québécois dans le brassage de leurs bières. La même année, des changements furent apportés au sein de l'équipe. Deux collaborateurs,

Sylvain et Sylvain, se retirent des affaires et Jonathan troque la salle de brassage pour le poste de président. C'est alors Alex Ganivet-Boileau qui prend la relève en tant que brasseur en chef.

L'entreprise, qui est en croissance constante, vient de déménager en 2011 dans de nouveaux locaux afin d'augmenter sa capacité de production et d'avoir sur place un entrepôt pour tous ses produits. Deux nouveaux « mousquetaires » ont aussi joint les rangs de l'équipe au même moment : Vicky Ouellet et Christian Marcil. En ce qui a trait aux projets futurs, sachez que les étiquettes changeront afin de donner davantage d'information aux consommateurs : potentiel de vieillissement, température de service, malts et houblons utilisés, suggestions d'accompagnement, saveurs prédominantes, etc. Il y aura également un nouveau format de bouteille, soit 375 ml, tout d'abord pour la Série Signature puis pour les bières régulières et la Série Grande Cuvée.

Notre sélection à découvrir :

- ➔ ***Blanche,*** *Bière de blé non-filtrée, 5 %*
- ➔ ***Doppelbock,*** Lager Brune extra-forte et non-filtrée, 8,6 %
- ➔ ***HopfenWeisse,*** Bière de blé non-filtrée à l'amertume soutenue, 6 %
- ➔ ***Kellerbier****, Lager dorée non-filtrée, 5,5 %*
- ➔ ***Maibock,*** *Lager blonde filtrée, 6.8 %*
- ➔ ***Porter Baltique****, Lager noire extra-forte et non-filtrée, 10 %*

UNIBROUE

80, rue des Carrières, Chambly
450-658-7658
www.unibroue.com

Depuis ses débuts, Unibroue offre principalement des bières de type belge refermentées en bouteilles, ce qui fut au début des années 1990 une première au Québec et au Canada avec l'introduction de la Blanche de Chambly en 1992. Ses bières très typées aux saveurs franches sont d'excellentes bières de dégustation. La refermentation en bouteille ayant des propriétés de conservation nettement supérieures, les bières d'Unibroue sont donc aussi de bonnes candidates pour un vieillissement en cave. En plus, pour le propriétaire d'une cave à bières, certains produits tels la Trois Pistoles, la Fin du Monde et la Maudite réagissent très bien au vieillissement, ce qui multiplie les possibilités pour l'inventaire de la cave.

Malgré le fait qu'Unibroue appartienne à la japonaise Sapporo depuis 2006, elle est fièrement québécoise et a choisi de puiser les noms de ses bières dans le patrimoine provincial : la Maudite faisant référence à la légende de la chasse-galerie, ou encore la Fin du Monde étant l'extrême limite pour les explorateurs d'antan. En 2008, Unibroue fut le brasseur officiel des célébrations entourant le 400e de la Ville de Québec et en profita pour brasser une bière anniversaire, la Quatre-Centième, qui est toujours disponible sur le marché. En 2011, La Terrible, une « hybride » entre un Imperial Stout et une ABT, originalement distribuée uniquement à la SAQ, a refait surface en édition limitée chez les détaillants québécois, pour le plus grand bonheur des amateurs. En 2012, ce fut le retour de la 17, une Ale brune extra-forte portant entièrement la signature du maître-brasseur

Jerry Vietz et qui a remporté, en 2010, le titre de « meilleure bière brune au monde » au World Beer Awards, en Angleterre, ainsi qu'une médaille de bronze pour la version Grande Réserve au Canadian Brewing Awards en 2012. Rien de moins.

Aujourd'hui, la brasserie de Chambly est devenue le leader dans le monde québécois de la microbrasserie et un des chefs de file pour l'exportation américaine. Ses bières sont maintenant bien connues et primées aux quatre coins du monde.

Notre sélection à découvrir :

→ **Blanche de Chambly,** *Bière de blé de type Witbier belge, 5 %*

→ **Éphémère Pomme**, *Ale blanche aux fruits, 5.5 % (médaille d'argent au Canadian Brewing Awards 2012)*

→ **Fin du Monde**, *Triple, 9 % (bière la plus médaillée parmi tous leurs produits)*

→ **Maudite**, *Bière d'abbaye flirtant avec les doubles, 8 %*

→ **Raftman**, *Ale au malt de whiskey fumé à la tourbe, 5.5 %*

→ **Trois Pistoles**, *ABT (quadruple), 9 %*

AUBERGISTE, À BOIRE !

BISTRO DES BIÈRES BELGES

2088, rue Montcalm, Saint-Hubert
450-465-0669
www.bistrobelge.com
Lundi-jeudi, 11 h-23 h ; vendredi, 11 h-minuit ; samedi, 17 h-minuit ; dimanche, 16 h-23 h. La cuisine ferme une heure avant les heures d'affaires. Terrasse.

En ouvrant la porte de ce bistro, situé dans une maison plus que centenaire, votre nez s'enivrera des effluves de la Belgique. Les multiples préparations de moules et frites (n'oubliez pas la mayo au passage) et autres spécialités du plat pays charmeront tout vos sens. Vous y trouverez une sélection d'une centaine de bières d'ici et d'ailleurs, avec une nette préférence pour la Belgique, cela va de soi. Ce bistro est devenu une adresse incontournable sur le boulevard Taschereau pour un repas entre amis, tant en hiver près du feu qu'en été sur la terrasse. Un petit conseil : laissez-vous tenter par le partage d'une gaufre accompagnée de fruits frais… Vous constaterez vite avoir fait un choix des plus gourmands. Un grand plaisir à prix très abordables !

FOURQUET FOURCHETTE

1887, avenue Bourgogne, Chambly
450-447-6370 / 1 888-447-6370
www.fourquet-fourchette.com
Mi-mai à mi-septembre : lundi-samedi, 11 h 30-fermeture ; dimanche, 10 h 30 (brunch)-fermeture. Le reste de l'année : lundi-mercredi, groupes seulement sur réservation ; jeudi-samedi, 11 h 30-fermeture ; dimanche, 10 h 30 (brunch)-fermeture. Soupers-spectacles en saison estivale.

Le temple de la gastronomie québécoise à la bière ! L'appendice culinaire du Fourquet Fourchette est une halte incontournable, que l'on soit ou non amateur de bières. Et si vous ne l'êtes pas, vous le deviendrez ! Dans un bâtiment donnant sur le bassin de Chambly de la rivière Richelieu, à l'atmosphère évoquant le XVIIe siècle, vous allez vivre quelques beaux moments de gastronomie et d'histoire. Dans la salle de l'Abbaye, qui rend hommage au travail des moines dans l'évolution de la bière, ou encore dans la salle Jean Talon, intendant de la Nouvelle-France et un des premiers brasseurs en Amérique du Nord, vous dégusterez des plats cuisinés où l'harmonie des saveurs et des goûts vous fera vivre une expérience unique. À la carte, des plats extraordinaires comme la salade tiède de pétoncles et de saumon fumé à la « Raftman », le ragoût de caribou à la gelée de cèdre et à la « Trois Pistoles », ou encore le pot-au-feu du Bas du Fleuve à la « U ». En pleine saison, vous pourrez déguster votre repas en compagnie de leur chansonnier (du dimanche au jeudi), et le vendredi et samedi, vous aurez droit à une animation Nouvelle-France en salle. Pour votre plaisir, faites un saut à leur boutique où vous trouverez des plats ou des produits dérivés de la bière, ainsi que des produits du terroir.

FRITE ALORS !

241, rue Saint-Charles Ouest, Longueuil
450-332-3923
www.fritealors.com
Lundi-mercredi & dimanche, 11 h 30-21 h ; jeudi & samedi, 11 h 30-22 h ; vendredi, 11 h 30-22 h 30. L'horaire peut varier selon la saison. Terrasse.
Se référer à la section « Montréal » pour plus d'information.

UNE NOUVELLE ADRESSE À METTRE AU CARNET !

La rive-sud de Montréal compte dans ses rangs une nouvelle boutique spécialisée en bières de microbrasserie et produits du terroir québécois : Flaveurs d'Ici. Située à Saint-Hubert, et fière propriété de Danielle Raymond et Manuel Bansept, deux bièrophiles passionnés, ce lieu gourmand devrait ouvrir ses portes à la fin juillet. Nos deux comparses vous feront découvrir leurs coups de cœur et vous aideront à faire un choix éclairé pour vos dégustations et accords mets-bières. D'où le nom Flaveurs : *ensemble des sensations olfactives, gustatives et tactiles ressenties lors de la dégustation.*
Coordonnées : 6075, chemin Chambly, Saint-Hubert, 450-812-4445 (ouvert tous les jours).

DÉPANNEUR LE GRAND DUC

1330, rue Maple, Longueuil
450-674-7225
www.legrandduc.com
Lundi-dimanche, 7 h-23 h. Verres à bière en vente sur place.

M. Boileau, l'ancien grand duc du dépanneur, s'est spécialisé dans les bières de microbrasseries depuis le tout début, soit au milieu des années 1980. À cette époque, sa clientèle était surtout formée de jeunes universitaires mais aujourd'hui, « c'est un peu tout le monde qui recherche la nouveauté ». Le dépanneur a récemment changé de propriétaires mais la vocation de l'établissement ne changera pas. Une simple visite sur leur site Internet permet de constater l'ampleur de sa collection. Et que dire lorsqu'on y met les pieds, tout simplement un paradis pour le bièrophile. Étalées devant nos yeux, ce sont environ 200 bières provenant des quatre coins du Québec mais aussi de partout dans le monde. Une grande référence !

DÉPANNEUR LA RESSOURCE

409, rue Samuel-de-Champlain, Boucherville
450-655-3091
Lundi-vendredi, 6 h 30-23 h ; samedi-dimanche, 7 h-23 h.

Jean Desroches et Sylvie Martel sont des passionnés de bières et on le sent dès qu'on met les pieds dans leur commerce. S'étant tous deux rencontrés dans une brasserie avant d'ouvrir leur dépanneur spécialisé, le destin les dirigeait déjà vers le fabuleux monde la bière. À La Ressource, plus de 400 bières provenant d'une trentaine de microbrasseries québécoises s'étalent sous nos yeux. Il est presque impossible de ne pas trouver ce que l'on cherche et si tel est le cas, parlez-en aux propriétaires qui se feront un plaisir de les commander pour vous, dans la mesure du possible bien entendu. On peut également se procurer des paquets-cadeaux (et faits sur mesure par Sylvie s'il vous plaît !) et des verres de dégustation. Vous n'y êtes pas encore allés, qu'attendez-vous ?

Et aussi :

DÉPANNEUR ALAIN

950, rue Léger, Salaberry-de-Valleyfield
450-371-3157

ÉPICERIE DES HALLES

145, boulevard Saint-Joseph, Saint-Jean-sur-Richelieu
450-348-6100
www.epiceriedeshalles.ca

IGA SAINTE-JULIE (MARCHÉ DU FAUBOURG)

2055, rue Principale, Sainte-Julie
450-649-4078

LE GOBELET – LA MAISON DES BIÈRES ET DES SAVEURS

78, rue Valois, Vaudreuil-Dorion
450-455-1667
www.legobelet.com

MARC LABERGE ET FILS

85, boulevard Saint-Jean-Baptiste, Châteauguay
450-691-3070

MARCHÉ LAVIGNE

79, rue Saint Laurent Ouest, Longueuil
450-670-4350

MÉTRO SABREVOIS

535, rue Samuel-de-Champlain, Boucherville
450-655-2634

CHEZ LE BRASSEUR

LES BRASSEURS DU TEMPS

170, rue Montcalm, Gatineau (secteur Hull)
819-205-4999
www.brasseursdutemps.com
Dimanche-mardi, 11 h 30-minuit; mercredi, 11 h 30-1 h; jeudi-samedi, 11 h 30-2 h. Visite des installations brassicoles et dégustation sur réservation, brassins publics. Boutique de bières en bouteille et d'articles à l'effigie de la brasserie. Programmation culturelle et musicale. Terrasse. Salle privée pour les groupes sur réservation.

Été 2009, c'est l'aboutissement du rêve d'amis bièrophiles passionnés de patrimoine et de culture: Les Brasseurs du Temps (ou BDT) ouvrent leurs portes... et leurs pompes! Le site patrimonial du Ruisseau de la Brasserie reprend ainsi la vocation originale que lui avait conférée Philemon Wright, le fondateur de la ville de Hull (Gatineau). Son objectif: produire des bières de dégustation de grande qualité tout en contribuant au dynamisme de la région sur les plans patrimonial, culturel, artistique et culinaire.

À l'aube de leur troisième anniversaire, leur succès ne se dément pas. Les lieux sont fort conviviaux, particulièrement en été avec la magnifique terrasse aux abords du cours d'eau de la Brasserie. Pour assouvir les amateurs en quête de délices houblonnés, douze bières figurent au menu, en rotation selon les saisons et les humeurs, en plus de bières «invitées», fières représentantes de nos microbrasseries québécoises. Les indécis opteront pour «l'horloge», question de goûter à tout! Depuis ses débuts, BDT a concocté pas moins de 25 bières différentes dont des déclinaisons vieillies en fût de bourbon, de brandy et de vin rouge. La microbrasserie embouteille également près d'une dizaine de ses produits, dont trois bières régulières et six saisonnières, disponibles dans de nombreux points de vente dans la province. Les bières de BDT se trouvent aussi en fût à plusieurs endroits (voir site Internet pour toute information).

La table gourmande des BDT vaut également le détour avec ses excellents plats à saveurs locales: assiette de cochonnailles, fish & chip, burger d'agneau du Québec, foie de veau poêlé à l'anglaise, tartare de bison, poutines gourmandes... Un menu tapas est également offert (sauf le midi) ainsi que des dégustations pour les groupes d'au moins 25 personnes (bières-fromages ou bières-saucisses-charcuterie). Pour continuer l'expérience, partez à la découverte du passé brassicole régional en visitant le musée, ou profitez des groupes musicaux qui viennent fouler les planches du BDT plusieurs fois par semaine.

Notre sélection à découvrir:

- → ***Diable au Corps***, *Imperial IPA houblonnée à cru, 10 % (médaille d'argent au Canadian Brewing Awards 2012)*
- → ***DumDuminator***, *Doppelweizenbock, 8 %*
- → ***La Saison Haute***, *Saison de type belge, 8.5 %*
- → ***Mea Magna Culpa***, *Vin d'orge, 9 %*
- → ***Obscur Désir***, *Imperial Stout, 9 %*
- → ***Trois Portages***, *Triple, 9 %*

UNE BIÈRE CHEZ LE VOISIN !

Quitte à poursuivre l'expérience, faites un saut de l'autre côté de la rivière des Outaouais pour découvrir les bières brassées dans la région de la Capitale Nationale.

En janvier 2012, le Mill Street Brewpub, déjà présent à Toronto, a installé ses pénates à Ottawa, au bord de la rivière des Outaouais, dans l'historique moulin et usine à pâte à papier Thompson-Perkins & Bronson. On retrouve une dizaine de bières artisanales sur place dont des éditions spéciales, uniquement disponibles dans la succursale d'Ottawa. Visite de la brasserie offerte tous les jours et boutique sur place. **www.ottawa.millstreetbrewpub.ca**

Le Clocktower Brew Pub, avec quatre adresses à Ottawa, propose cinq produits réguliers en tout temps dont une bière de blé aux framboises, une ESB anglaise et une ale brune faite à partir de sept malts différents. Des bières saisonnières ainsi qu'une sélection en cask viennent compléter le menu. **www.clocktower.ca**

Finalement, à Vankleek Hill, un peu au sud de Hawkesbury à l'est de la capitale, Beau's All Natural Brewing jouit d'une belle réputation avec sa bière LUG-TREAD faite à partir d'eau de source et de malt biologique. La brasserie offre également quatre produits saisonniers, une série « Folles-Avoines » qui compte une vingtaine de bières dont la Fous Alliés brassée en collaboration avec Le Trou du Diable, et d'autres petits délices houblonnés. Boutique sur place. **www.beaus.ca**

Autres suggestions :

La chaîne française Les 3 Brasseurs aura pignon sur rue au 240 rue Sparks dès la fin de l'automne ou le début de l'hiver 2012. **www.les3brasseurs.ca**

Brothers Beer Bistro, qui vient d'ouvrir ses portes au printemps 2012 au cœur du Marché By (366 rue Dalhousie), est un gastropub qui met l'emphase sur les bières artisanales d'ici et d'ailleurs, tant dans la pinte que dans l'assiette. **www.brothersbeerbistro.ca**

La Broadhead Brewing Company, nouvelle microbrasserie d'Ottawa propose six ales robustes et savoureuses : Underdog Pale, Backbone Standard, Long Shot White, Grindstone Amber, Dark Horse Stout et Wildcard Ale (en vente sur place en keg et growler, et en fût dans certains établissements de la ville). **www.broadheadbeer.com**

Kichesippi Beer Co., qui brasse la Natural Blonde (Pale Ale), distribue sa bière dans plusieurs établissements et LCBO de la région. Des kegs et growlers sont en vente à la brasserie. La Kichesippi 1855 (Dark Ale) est également disponible sur place. **www.kbeer.ca**

AUX 4 JEUDIS

44, rue Laval, Gatineau (secteur Vieux-Hull)
819-771-9557
www.4jeudis.ca
Lundi-dimanche, 14 h-2 h (dès 11 h 30 en semaine de mi-mai à fin août). Menu à la carte : moins de 20 $.

Le bâtiment qui fut l'Épicerie Laflèche pendant près d'un siècle abrite depuis 30 ans ce café-bar très prisé par les travailleurs, les professionnels et les universitaires. Très présent sur la scène touristique et culturelle locale, le calendrier des événements comprend des expositions d'art visuel, des soirées thématiques et, durant la belle saison, des soirées cinéma et des concerts sur la terrasse. Pour étancher la soif des visiteurs, une carte des bières locales et importées qui plaira à tous avec une quinzaine de bières pression et plus de 45 sortes en bouteille. D'ailleurs à chaque mois, une bière est à l'honneur et affiche un prix réduit. Pour les petits creux en saison estivale, un menu composé de salades, burgers et sandwichs gourmands vous est offert le midi du lundi au vendredi dès 11 h 30, et en soirée du lundi au dimanche à partir de 16 h.

BISTRO L'AUTRE ŒIL

55, rue Principale, Gatineau (secteur Aylmer)
819-682-1221
www.lautreoeil.com
Dimanche-mercredi, 15 h-minuit ; jeudi-samedi, 15 h-1 h. Fermé le dimanche de septembre à mai (sujet à changement). Menu d'amuse-gueules et légers repas. Terrasse.

Une adresse fort connue des amateurs de houblon et le cas échéant, à découvrir absolument. On y dénombre plus de 550 sortes de bières, allant des microbrasseries québécoises aux raretés belges, en passant par des exclusivités et d'autres divins nectars. Cela représente plus d'une trentaine de pays ! Si vous êtes avides d'en connaître davantage sur le monde de la bière, sachez que plusieurs événements sont organisés fréquemment afin de vous initier à sa fabrication, sa dégustation et son évaluation. Une halte incontournable !

CHELSEA PUB

238, chemin Old Chelsea, Chelsea
819-827-5300
www.chelseapub.ca
Ouvert tous les jours dès 11 h 30 (dès 11 h le week-end). Programmation culturelle. Terrasse.

Occupant l'une des plus anciennes maisons du village, le Chelsea Pub est l'endroit tout indiqué pour un verre ou un bon repas après une journée de découvertes dans la région. Une carte variée et une ambiance toujours agréable, c'est la clé du succès ! Côté houblon, plusieurs microbrasseries y ont une belle vitrine : Le Naufrageur, Le Bilboquet, Microbrasserie Charlevoix, La Barberie, Pit Caribou, Microbrasserie du Lièvre, McAuslan, etc., sans oublier la vedette du mois. Il faut dire que les lieux appartiennent depuis quelques années à Manuela Teixeira et Nicolas Cazelais, le couple à l'origine du Festibière de Gatineau. Sachez aussi que la Microbrasserie Charlevoix brasse une bière spécialement pour eux, La Traîtresse, une triple belge à 9 %. Au cours des prochaines années, après des rénovations majeures au bâtiment, le pub brassera ses propres bières sur place. Une histoire à suivre… Pour ceux qui aimeraient parfaire leurs connaissances ou découvrir de nouveaux accords, sachez que le bièrologue Mario D'Eer y organise des dégustations plus que savoureuses (sur réservation).

BROUE HA HA

867, boulevard Saint-René Ouest, Gatineau
819-503-3906
www.brouehaha.com
Lundi, 11 h-18 h ; mardi-mercredi, 10 h-18 h ; jeudi-vendredi, 10 h-21 h ; samedi, 9 h 30-18 h ; dimanche, 11 h-17 h. Dégustations gratuites tous les samedis de 13 h à 17 h. Paniers-cadeaux, cartes-cadeaux et verres à bière en vente sur place. Dégustations à domicile ou pour les groupes sur réservation.

Véritable boutique à bières, le BROUE HA HA vous offre plus de 300 produits de microbrasseries québécoises ainsi que quelques importations. Il est quasi impossible de ne pas trouver ce que vous cherchez! Pour être au parfum des nouveaux arrivages, le site Internet y consacre une section mais vous pouvez également vous inscrire gratuitement à leur infolettre. Pour des épousailles bien réussies, la boutique tient de nombreux produits gourmands: saucisses, terrines, rillettes, pâtés, tourtières, choucroutes, croustilles, bretzels, noix et autres grignotines, moutardes, et encore plus. Un endroit dont vous ne repartirez pas les mains vides!

DÉPANNEUR RAPIDO

43, rue Front, Gatineau
819-684-7345
Lundi-dimanche, 8 h-23 h.

Sandra Lopes et son conjoint, Marc-André Arvisais, sont des passionnés de bières. Rares sont les événements bièrophiles auxquels ils n'assistent pas et cela se reflète dans le choix de microbrasseries québécoises disponibles sur place: La Barberie, Les Trois Mousquetaires, Le Naufrageur, La Voie Maltée, Dieu du Ciel!, La Chouape, Microbrasserie Charlevoix, Brasseurs Sans Gluten, etc. Question de pouvoir faire un choix éclairé, des dégustations de bières sont organisées les vendredis et samedis à même le magasin. Les tégestophiles (voir rubrique «Abièrecédaire») vont également être heureux de découvrir cette adresse en raison des nombreux items collectionnables. Vous avez un ami bièrophile à qui vous désirez faire plaisir? Les paquets-cadeau feront à coup sûr le bonheur de tous et sur demande, ils seront confectionnés sur mesure.

Et aussi :

LA TRAPPE À FROMAGE

114, boulevard Saint-Raymond, Gatineau (secteur Hull), 819-243-6411
www.trappeafromage.com

MARCHÉ OMNI

50, rue Bégin, Gatineau (secteur Hull) | 819-777-9921

SAGUENAY-LAC-SAINT-JEAN

CHEZ LE BRASSEUR

LA GUEULE DE BOIS

2728, boulevard Saguenay Ouest, Saguenay (secteur Jonquière)
418-412-4128
www.lagueuledebois.net
Dimanche-mardi, fermé ; mercredi-samedi, 13 h-1 h. Horaire sujet à changements. Visite des installations brassicoles et dégustation offertes selon la disponibilité des employés. Items à l'effigie de la microbrasserie en vente sur place.

Maxym Desmeules est un passionné de bière depuis fort longtemps. Plus jeune, son sous-sol et son garage furent tour à tour une salle de brassage où les « expérimentations » allaient bon train. Avec des amis, il loua ensuite un local à Chicoutimi où il pourrait développer ses recettes. Question de se faire la main, Maxym suivi un cours de brassage aux Laboratoires Maska et travailla pendant trois ans comme brasseur dans une brasserie artisanale de la région. À l'été 2009, et grâce à un partenariat avec AMB | Maître Brasseur de Laval, les premières bières régulières de La Gueule de Bois se retrouvèrent sur les tablettes de nos détaillants. Mais d'où vient ce nom ? Au lendemain d'une soirée fort arrosée, Maxym et ses comparses avaient... la gueule de bois ! L'abus de bière peut en effet mener à cette conséquence et mieux vaut éviter ! C'est pourquoi il a décidé de prendre cette métaphore comme nom officiel de sa microbrasserie.

Depuis le début de l'année 2012, grâce à l'obtention de son permis de brassage industriel, La Gueule de Bois est entièrement autonome avec ses propres installations de brassage et d'embouteillage dans la belle région de Saguenay. Un salon de dégustation, ouvert depuis le 20 juin 2012, est annexé à la microbrasserie, question de vous faire découvrir ses bières à l'endroit même où elles sont brassées. Pour les petits creux, la microbrasserie vous permet d'apporter votre propre nourriture sur place. De nouvelles recettes font également partie des projets futurs de la jeune entreprise ainsi que le développement des points de vente dans la province.

Notre sélection à découvrir :

- → ***La 1001 Bandits***, *Old Ale, 5 %*
- → ***La Blonde Parfaite***, *Pale Ale belge, 6.5 %*
- → ***La Clandestine***, *Ale forte de type belge, 8 %*
- → ***La Farouche***, *Ale brune au miel, 8 %*
- → ***La Monnaie de Carte***, *Spéciale belge, 8 %*
- → ***La Racine***, *Milk Stout, 5.5 %*

LA TOUR À BIÈRES

517, rue Racine Est, Saguenay (secteur Chicoutimi)
418-545-7272
www.latourabieres.com

Mai à septembre : lundi-dimanche, 14 h-3 h (16 h-21 h pour le resto). Le reste de l'année : lundi-dimanche, 16 h-3 h (16 h-20 h pour le resto). Visite guidée des installations et dégustation pour les groupes sur réservation. Programmation culturelle et musicale à l'année. Terrasse.

Fondée en 2001, l'entreprise Les Brasseurs du Saguenay était à l'époque un regroupement de passionnés de bières qui brassaient et vendaient du moût frais pour permettre aux brasseurs amateurs d'économiser et de fermenter leurs bières à la maison. Après avoir vendu du moût, il était dans l'ordre des choses de penser à vendre de la bière, et l'idée d'ouvrir une brasserie artisanale fermentait depuis longtemps dans la tête de Pascal Paradis, un des instigateurs du projet. Il a su convaincre d'autres actionnaires de se lancer dans l'aventure et La Tour à Bières « s'érigea » au mois de mai 2004.

La brasserie artisanale connaît dès lors un engouement marqué accompagné d'une demande sans cesse croissante, si bien qu'au fil des années, l'entreprise s'orienta également vers l'embouteillage afin de fournir en bières de spécialité les bièrophiles des quatre coins de la province. De la trentaine de recettes développées depuis son ouverture, une dizaine trône dorénavant sur les tablettes de plus d'une soixantaine de détaillants spécialisés dans la province. Ceci dit, nous vous conseillons aussi d'aller directement sur place où vous pourrez découvrir d'autres bières exclusives au bistro de La Tour à Bières. Il a pignon sur la très achalandée rue Racine, réputée pour son animation, dans une magnifique maison avec des terrasses et une cour verdoyante. Au menu, des spectacles musicaux les vendredis et samedis soirs (octobre à avril), des bières maison en rotation (aussi disponibles en format de 5 à 7 verres de dégustation), et un menu de type pub avec des torpilles avec choucroute, des pizzas fines, des paninis et autres petits plats savoureux, dont la fameuse tourtière du Lac-Saint-Jean à la bière. Un lieu fort sympathique !

Notre sélection à découvrir :

→ ***La Blanche du Fjord,*** *Bière de blé de type Witbier belge, 5 %*
→ ***La McLeod,*** *Scottish Ale, 5 %*
→ ***La Montagnaise,*** *India Pale Ale, 5 %*
→ ***La Noire de Saint-Antoine,*** *Stout, 5 %*
→ ***La Tourelle****, Bière de blé aux vrais bleuets, 5 %*
→ ***La Tour-Menthe****, Ale ambrée à la menthe et bleuets, 5 %*

*Prenez notre que les pourcentages d'alcool diffèrent lorsqu'en bouteille.

LA VOIE MALTÉE – GASTRO PUB

2509, rue Saint-Dominique, Saguenay (secteur Jonquière), 418-542-4373
777, boulevard Talbot, Saguenay (secteur Chicoutimi), 418-549-4141
www.lavoiemaltee.com
Lundi-dimanche, 11 h-3 h. Programmation culturelle et musicale aux deux adresses.
Visite des installations brassicoles et dégustation sur réservation.

Haaaaa, ces Gaulois!! Contre vents et marées, la Voie Maltée a rapidement conquis le cœur des Jonquièrois au pays de la grosse bière en 2002. Daniel Giguère, fondateur de La Voie Maltée et forcément un passionné de la bière, a su contaminer son frère Pierre et deux de ses amis, soit Alexandre et Michel, à participer à l'ouverture de la première brasserie au Saguenay-Lac-Saint-Jean. Étonnamment forte de son succès, ces braves « Gaulois » ouvrirent une deuxième Voie Maltée en 2008, et ce, près de l'Université de Chicoutimi à Saguenay. L'expansion s'est poursuivie de plus belle et depuis 2009, grâce à une entente d'embouteillage avec la Microbrasserie Charlevoix, trois produits sont maintenant disponibles à travers le Québec, dont la Criminelle lauréate du prix de la « meilleure strong stout » en Amérique selon le plus prestigieux concours au monde, et la Graincheuse désignée « meilleure pale ale belge » au monde selon le WBA (World Beer Award).

De la vingtaine des succulentes bières brassées sur place, une dizaine figurent au menu et ce, bien entendu, en rotation, selon les mois et les récoltes. De plus, pour satisfaire les exigences de sa clientèle, Éric, sorti tout droit des Grandes Tables du Québec, a joint la VM pour offrir « l'Expérience bouffe et bière » en Amérique.

Ayant encore soif de démontrer leur savoir-faire, la ville de Québec était la suite logique de cette belle aventure très énergisante pour eux et bien sûr, très hydratante pour leurs clients, actuels et futurs. Soyez sur la bonne piste aromatique avec la VM !

Notre sélection à découvrir :

→ **Ambigüe,** *Extra Special Bitter, 5 %*
→ **Criminelle,** *Imperial Stout, 9 %*
→ **Fleur du Malt**, *Scottish Ale, 6 %*
→ **Graincheuse**, *Saison belge, 8 %*
→ **Malcommode**, *Hefe Weizen (Ale blanche d'inspiration allemande), 4 %*
→ **Polissonne**, *Vin d'orge, 10 %*

LES BRASSEURS RJ

182, route 170, L'Anse-Saint-Jean
1 888-274-3234
www.brasseursrj.com
Se référer à la section « Montréal » pour plus d'information.

MICROBRASSERIE DU LAC SAINT-JEAN

120, rue de la Plage, Saint-Gédéon
418-345-8758
www.microdulac.com

Juin à début septembre : dimanche-mercredi, 11 h 30-minuit ; jeudi-samedi, 11 h 30-2 h. Le reste de l'année : lundi-mercredi, fermé ; jeudi-samedi, 11 h 30-1 h ; dimanche, 11 h 30-18 h. Bières pour emporter et items à l'effigie de la microbrasserie en vente sur place. Programmation culturelle et musicale. Forfaits sur mesure pour les groupes, location de salle pour événement. Visite des installations brassicoles et dégustation sur réservation (minimum 12 personnes). Possibilité d'ajouter l'accord avec des produits du terroir dans le forfait-visite.

Aux abords de la Véloroute des bleuets qui ceinture le magnifique Lac Saint-Jean, un arrêt s'impose pour les bièrophiles de ce monde. Fruit d'un projet bien mûri pendant plusieurs années, les frères Charles et Marc Gagnon, ainsi que la conjointe de ce dernier, Annie-St-Hilaire, ont ouvert les pompes de la Microbrasserie du Lac en 2007 afin d'abreuver les passants de délices houblonnés. Notez d'ailleurs qu'un agrandissement est en cours pour être complété en juillet 2012 : nouvelles installations de brassage, de boutique et de cuisine ainsi qu'un revampage du bistrot.

Afin de parfaire leurs connaissances sur le merveilleux monde brassicole, Annie et Marc ont effectué des stages et des visites dans une trentaine de brasseries belges. Résultat : des bières artisanales goûteuses et bien équilibrées issues du savoir-faire du vieux continent. Quatre bières régulières, ainsi que des cuvées spéciales, sont disponibles chez les détaillants spécialisés de la province mais sur place, vous aurez également droit à quelques surprises saisonnières, dont la Houblon Libre, une Indian Black Ale, lauréate de la médaille de bronze dans la catégorie « Ale Noire / Style américaine » au Canadian Brewing Awards 2012. En effet, la microbrasserie possède un bistrot jouxtant ses installations. Sur place, vous trouverez au menu les bières régulières, quelques saisonnières de passage, des cocktails à la bière, des grignotines et de bons petits plats comme la Trois Charcuterie Etcetera (cerf rouge fumé, terrine de sanglier à la *Boutefeu*, saucisson aux champignons sauvages, fromage *Pikauba*, confit d'oignons à la *Tante Tricotante* et accompagnements). Notez que le menu change selon les saisons et les récoltes.

Spectacles de musique mettant en vedette la scène locale, bières artisanales brassées avec amour et patience, et événements saveurs pour le bonheur de vos papilles, tout y est pour assurer la pérennité de la Microbrasserie du Lac Saint-Jean.

Notre sélection à découvrir :

→ ***Belle Gigue***, *Ale ambrée de style belge, 6.5 %*
→ ***Blanche de Grandmont***, *Bière de blé de style Witbier belge, 4.5 %*
→ ***Boutefeu***, *Ale rousse, 5.1 %*
→ ***Frappabord***, *Vin d'orge, 11 %*

→ ***Gros-Mollet***, *Ale Brune d'Abbaye, 7.8 %*

→ ***Tante Tricotante***, *Triple belge, 8 %*

MICROBRASSERIE LA CHOUAPE

1164, boulevard Sacré-Cœur, Saint-Félicien
418-613-0622
www.lachouape.com

Mi-juin à septembre : lundi-dimanche, 15 h-minuit. Le reste de l'année : mercredi-samedi, 15 h-minuit ; dimanche-mardi, fermé. Visite des installations brassicoles et dégustation sur réservation. Items à l'effigie de la microbrasserie en vente sur place. Programmation culturelle et musicale à l'année. Terrasse.

La famille Hébert possède sa terre depuis plus d'un siècle et vers le milieu des années 1990, elle devint la première ferme brassicole certifiée biologique du Québec par Écocert Canada. Depuis 2007 sont cultivés sur place tous les ingrédients nécessaires à la fabrication d'une bière naturelle et locale. Après des stages en Europe auprès de malteries, brasseries et à l'Institut de formations brassicoles, Louis Hébert et Marie-Ève Séguin ont ouvert ensemble, en 2008, la microbrasserie et le salon de dégustation au centre-ville de Saint-Félicien. Pour l'anecdote, La Chouape est en fait un diminutif sympa du nom de la rivière qui passe juste derrière la brasserie, l'Ashuapmushuan (« l'Ashuap »).

La Chouape brasse près d'une vingtaine de bières de haute fermentation, toutes non-filtrées et issues entièrement d'ingrédients naturels. Bien entendu, si vous êtes de la région ou y êtes de passage, le salon de dégustation de la microbrasserie est un arrêt incontournable pour les découvrir. Le cas échéant, ne vous inquiétez pas car plusieurs bières La Chouape, offertes en format de 500 ml, sont distribuées à travers la province via le réseau Distribières. Notez que ces dernières subissent une seconde fermentation en bouteille.

Depuis ses débuts, la microbrasserie offre la possibilité de déguster ses bières sur place grâce à son salon de dégustation aménagé sur les lieux même du brassage. Un menu de grignotines est aussi offert pour combler les petites faims et accompagner votre pinte. Les lieux servent également de café Internet et différents événements sont organisés au fil des mois : concert intimes, expositions, soupers thématiques, etc. À mettre impérativement à votre carnet d'adresses !

Notre sélection à découvrir :

→ ***1881***, *Bière forte sur lie, 6.7 %*

→ ***Ambrée Amère***, *Ale ambrée, 5.3 %*

→ ***Blanche***, *Bière de blé de type Witbier belge, 5.3 %*

→ ***Harvest Ale***, *English Pale Ale, 6.2 %*

→ ***Impériale Stout***, *Imperial Stout, 7.2 %*

→ ***India Pale Ale***, *India Pale Ale, 6.2 %*

MICROBRASSERIE LE COUREUR DES BOIS

1551, boulevard Wallberg, Dolbeau-Mistassini
418-979-1197
www.lecoureurdesbois.com

En été : lundi-mardi, 11 h 30-23 h ; mercredi, 11 h 30-minuit ; jeudi-samedi, 11 h 30-1 h ; dimanche, 13 h-17 h. Le reste de l'année : lundi-mardi, fermé ; mercredi-vendredi, 15 h-1 h ; samedi, 13 h-1 h ; dimanche, 13 h-17 h. Visite des installations brassicoles et dégustation offertes selon la disponibilité du brasseur. Items à l'effigie de la microbrasserie en vente sur place. Terrasse. Programmation culturelle et musicale à l'année.

Ouverte depuis le 21 décembre 2011, Le Coureur des Bois est la toute première microbrasserie du haut du Lac-Saint-Jean. Le brasseur, Louis Simard, s'est fait la main en tant que brasseur maison, un passe-temps qui s'est rapidement transformé en passion. Ayant participé à plusieurs concours de brassage amateur au fil des ans, il suivit également, en 2011, deux formations aux Laboratoires Maska de Saint-Hyacinthe. Avec ses partenaires, Caroline Mailloux, comptable de formation, et Luc Simard, biologiste, aide-brasseur et homme à tout faire, Louis a démarré ce projet qui lui tenait tant à cœur. Pour l'instant, l'embouteillage ne fait pas partie des projets, l'équipe préférant se concentrer sur le développement et la gestion de leur nouvel établissement.

Les lieux sont à l'image de la région, un élément d'appartenance très important pour l'équipe. Installé dans un camp en bois, avec ses planchers, murs et plafonds en bois d'origine, la microbrasserie dégage une atmosphère fort chaleureuse. Question d'ajouter une touche des plus rustiques, divers éléments décoratifs y ont été installés tels des peaux de renard et de coyote, une tête de caribou naturalisé, un vieux piège, etc. Pour accompagner les délices houblonnés brassés sur place, un menu concocté à base de produits québécois est proposé : assiette de trois fromages régionaux, rillettes d'agneau de Normandin, terrines de gibiers de Ducs de Montrichard, saucissons du Fou du Cochon… Divers événements y sont également organisés comme des spectacles musicaux et des expositions d'œuvres d'artistes locaux. Bref, les lieux ne désemplissent pas depuis l'ouverture, signe que le projet vient répondre à une demande dans la région. À mettre au carnet des découvertes lors de votre prochaine virée au Lac-Saint-Jean !

Notre sélection à découvrir :

→ ***Harfang***, *Bière de blé de type Witbier belge, 4.5 %*
→ ***L'Amphibie***, *India Pale Ale, 6.5 %*
→ ***Lynx***, *Ale blonde, 5 %*
→ ***Ourse Noire***, *Ale noire, 5 %*
→ ***Précieuse***, *Weizen, 5 %*
→ ***Renard***, *Ale rousse, 5 %*

AUBERGISTE, À BOIRE !

BISTRO DE L'ANSE

319, rue Saint-Jean-Baptiste, L'Anse-Saint-Jean
418-272-4222
www.bistrodelanse.com
Ouvert de fin mai à mi-octobre : lundi-dimanche, 12 h-fermeture (selon l'affluence). Horaire restreint en début et fin de saison. Superbe cour arrière avec vue sur l'anse.

Située dans ce magnifique village, à la jonction des rivières Saint-Jean et Saguenay, ce bistro vous accueille dans son ambiance chaleureuse de petite maison d'antan, où les œuvres d'artistes locaux trônent un peu partout. Au menu, café équitable, produits biologiques et régionaux sont à l'honneur pour une cuisine du monde savoureuse. Pour les amateurs de houblon, Boréale, Brasseurs RJ, Microbrasserie du Lac, Microbrasserie Charlevoix, La Voie Maltée et La Chouape se partagent la carte des produits québécois. Côté ambiance, chansonniers et groupes viennent animer les soirées tous les samedis soirs (et parfois le vendredi aussi) et à quelques reprises pendant la saison estivale, on déménage la fête sous les étoiles. Une place qui vaut vraiment son pesant d'or !

Prenez note que le bistro est dorénavant géré par Les Ateliers Coopératifs du Fjord. La coop prévoit acquérir le bistro et y installer une microbrasserie régionale. Mathieu Boily, brasseur maison depuis une douzaine d'années, vient de suivre un cours en décembre 2011 avec le réputé Michel Gauthier et sera le grand manitou derrière le fourquet. Il prévoit intégrer une bonne part de produits régionaux dans le brassage de ses bières tels le thé du Labrador ou encore le myrique baumier. Avec un permis de brassage industriel en main, l'embouteillage fait partie des plans, en premier lieu pour desservir la région et par la suite, le reste de la province. Notez que le bistro conservera sa vocation première, comme la microbrasserie se veut une valeur ajoutée. Pour suivre l'évolution du projet : **www.ateliersdufjord.ca**

SALON DE BIÈRES MONTSÉGUR

370B, rue Saint-Jean, Métabetchouan – Lac-à-la-Croix
418-349-1112
Mai à octobre : jeudi-dimanche, 16 h-2 h (fermé le dimanche en fin de saison). Le reste de l'année : fermé. L'horaire peut varier selon l'affluence. Programmation culturelle et musicale. Terrasse.

Le Salon de bières Montségur mise sur la découverte et la promotion des excellents produits brassicoles québécois. Il faut dire qu'un des associés, Sylvain Tremblay, est un passionné de bières qui concocte, depuis quelques années, ses produits maison qui ont déjà fort séduit son entourage. Avec l'aide de ses complices en affaires, Herman Côté et Dominic Voyer, ils ont créé cet établissement qui saura assouvir les papilles des bièrophiles en quête de délices houblonnés.

Une quarantaine de bières différentes sont proposées en bouteille ainsi que trois lignes fût qui accueillent en rotation des bières bien de chez nous. Au programme, les produits de la Microbrasserie du Lac Saint-Jean, de la Chouape, de la Voie Maltée, de La Gueule de Bois, de Pit Caribou, de la Microbrasserie Charlevoix et de Boréale, pour ne nommer que ceux-ci. De plus, une bière exclusive est offerte sur place grâce à un partenariat avec la microbrasserie La Gueule de Bois de Jonquière : la Blanche de Ste-Croix, une recette créée par Sylvain qui est une bière de type belge au goût d'agrumes et de coriandre, brassée à la base pour le centenaire du village du Lac-à-la-Croix. Pour accompagner votre pinte, l'endroit vous encourage à apporter votre nourriture. Mais sachez que le Montségur organise également des événements gourmands où bières et produits régionaux sont mariés pour votre plus grand plaisir gustatif (voir la page Facebook « Le Montségur » pour les informations concernant tous leurs événements). Bref, une escale fort sympathique, à l'ambiance chaleureuse de vieux pub anglais. À mettre impérativement au carnet d'adresses !

MARCHANDS DE BONHEUR

MARCHÉ CENTRE-VILLE

31, rue Jacques-Cartier Ouest, Saguenay (secteur Chicoutimi)
418-543-3387
www.marchecentreville.com
Lundi-vendredi, 7 h-23 h ; samedi-dimanche, 8 h-23 h. Verres à bière de collection à vendre sur place.

Terrines, pâtés, saucisses, fromages, olives, pains et autres produits gourmands trônent sur les étalages, mais sûrement pas autant que la bière. Près d'une trentaine de brasseries et microbrasseries, d'ici et d'Europe, distribuent leurs produits au Marché Centre-Ville avec un choix exemplaire de bières artisanales québécoises. Si vous hésitez dans vos choix, les employés sont de fins connaisseurs et sauront bien vous conseiller. Parmi ses nombreux services, le marché peut organiser des dégustations de bières clé en main où ces dernières seront mariées à des produits régionaux pour une expérience gustative des plus réussies.

Et aussi :

CORNEAU CANTIN

2000, boulevard Talbot, Saguenay (secteur Chicoutimi)
3650, rue du Roi-George, Saguenay (secteur Jonquière)
418-698-9556
www.corneaucantin.com

MÉTRO R. DUBÉ

370, avenue Bégin Sud, Alma
418-662-3611

PROVIGO CHICOUTIMI-NORD - ROUSSEL

2120, rue Roussel, Saguenay (secteur Chicoutimi)
418-543-9113

- 101 Voyages insolites .... 15,00 €
- Abu Dhabi + Plan .... 15,95 €
- Açores .... 14,95 €
- Afghanistan .... 18,00 €
- Afrique du Sud .... 15,95 €
- Alaska Extrême-Orient russe .... 15,95 €
- Albanie .... 15,95 €
- Algarve .... 12,95 €
- Alger .... 13,95 €
- Algérie .... 17,95 €
- Allemagne .... 13,95 €
- Amsterdam .... 11,95 €
- Andalousie + DVD .... 12,95 €
- Argentine .... 14,95 €
- Arménie .... 15,95 €
- Asie centrale .... 16,95 €
- Australie + DVD .... 16,95 €
- Autriche .... 12,95 €
- Azerbaïdjan .... 15,95 €
- Bahamas .... 15,95 €
- Bâle + Plan .... 9,95 €
- Baléares - Ibiza + plan .... 12,95 €
- Bali - Lombok + DVD .... 13,95 €
- Bangkok + plan .... 11,95 €
- Barcelone - Catalogne .... 12,95 €
- Bavière .... 12,95 €
- Belfast - Irlande du Nord .... 11,95 €
- Belgique - Cantons de l'Est .... 8,00 €
- Belgique .... 13,95 €
- Bénin .... 15,95 €
- Berlin .... 12,95 €
- Beyrouth + plan .... 13,95 €
- Biélorussie .... 15,95 €
- Bilbao + plan .... 11,95 €
- Bolivie .... 15,00 €
- Bosnie-Herzégovine .... 16,00 €
- Botswana .... 16,95 €
- Brésil + DVD .... 14,95 €
- Bruges - Anvers - Gand .... 13,95 €
- Budapest .... 11,95 €
- Buenos Aires .... 13,95 €
- Bulgarie .... 14,95 €
- Burkina Faso .... 15,95 €
- Burundi .... 17,95 €
- Californie .... 13,95 €
- Cambodge .... 13,95 €
- Cameroun .... 15,95 €
- Canada .... 14,95 €
- Canaries + DVD .... 14,95 €
- Cap-Vert .... 14,95 €
- Casablanca .... 12,95 €
- Chili + DVD .... 13,95 €
- Chine .... 14,95 €
- Chine du Sud .... 14,95 €
- Chypre .... 13,95 €
- Colombie .... 15,95 €
- Congo Brazzaville .... 16,00 €
- Copenhague + plan .... 12,95 €
- Corée du Sud .... 15,95 €
- Costa Brava, Blanca, Daurada .... 11,95 €
- Costa Rica .... 15,95 €
- Côte d'Ivoire .... 16,00 €
- Côte est des États-Unis .... 13,95 €
- Côte ouest des États-Unis .... 14,95 €
- Crète + DVD .... 12,95 €
- Croatie + DVD .... 12,95 €
- Cuba + DVD .... 13,95 €
- Danemark - Îles Féroé .... 13,00 €
- Djibouti .... 14,95 €
- Dubai + plan .... 15,95 €
- Dublin + plan .... 12,95 €
- Dubrovnik + plan .... 11,95 €
- Ecosse .... 12,95 €
- Egypte + DVD .... 12,95 €
- Emirats Arabes Unis .... 15,95 €
- Equateur .... 14,95 €
- Espagne .... 15,95 €
- Estonie .... 14,95 €
- Ethiopie .... 17,95 €
- Fès - Meknès + plan .... 12,95 €
- Fidji .... 15,95 €
- Finlande .... 14,95 €
- Florence - Toscane - Ombrie .... 13,95 €
- Floride + DVD .... 13,95 €
- Gabon, São Tome et Príncipe .... 15,95 €
- Gênes - Ligurie + plan .... 12,95 €
- Genève + plan .... 8,95 €
- Géorgie .... 17,00 €
- Ghana .... 15,95 €
- Grand Sud marocain .... 14,95 €
- Grande-Bretagne .... 14,95 €
- Grèce continentale + DVD .... 12,95 €
- Guadeloupe + DVD .... 11,95 €
- Guatemala .... 14,95 €
- Guinée .... 15,95 €
- Guyane .... 15,95 €
- Haïti .... 15,00 €
- Hanoi - Baie d'Halong + plan .... 11,95 €
- Hawaii .... 13,95 €
- Hong Kong - Macao .... 14,95 €
- Hongrie .... 13,95 €
- Îles Anglo Normandes .... 14,95 €
- Îles grecques + DVD .... 12,95 €
- Inde du Nord - Rajasthan + DVD .... 14,95 €
- Inde du Sud .... 13,95 €
- Indonésie .... 13,95 €
- Iran .... 19,95 €
- Irlande .... 11,95 €
- Islande .... 14,95 €
- Israël + DVD .... 15,95 €
- Istanbul .... 11,95 €
- Italie .... 15,95 €
- Italie du Nord .... 12,95 €
- Italie du Sud .... 12,95 €
- Jamaïque .... 15,95 €
- Japon .... 19,95 €
- Jordanie .... 13,95 €
- Kenya .... 13,95 €
- Kirghizistan .... 16,95 €
- Laos .... 14,95 €
- Laponie .... 16,00 €
- Lausanne - Riviera suisse + plan .... 7,95 €
- Le Cap + plan .... 13,95 €
- Lettonie .... 14,95 €
- Liban .... 16,00 €
- Libye .... 16,00 €
- Liège .... 9,95 €
- Lisbonne + plan .... 11,95 €
- Lituanie .... 14,95 €
- Londres + plan .... 11,95 €
- Los Angeles, Santa Monica Hollywood + plan .... 13,95 €
- Louisiane .... 14,95 €
- Luxembourg + plan .... 9,95 €
- Madagascar .... 13,95 €
- Madère .... 14,95 €
- Madrid .... 12,95 €
- Malaisie Singapour .... 13,95 €
- Maldives .... 15,95 €
- Mali .... 15,95 €
- Malte + DVD .... 12,95 €
- Maroc + DVD .... 12,95 €
- Marrakech .... 11,95 €
- Martinique + DVD .... 11,95 €
- Maurice + DVD .... 11,95 €
- Mauritanie .... 16,00 €
- Mayotte .... 15,95 €
- Mexique + DVD .... 13,95 €
- Miami + plan .... 13,95 €
- Milan - Turin - Lombardie + plan .... 13,95 €
- Mongolie .... 17,95 €
- Montréal + plan .... 10,95 €
- Moscou - Anneau d'Or .... 15,95 €
- Mozambique .... 16,95 €
- Munich + plan .... 12,95 €
- Myanmar - Birmanie .... 14,95 €
- Namibie .... 15,95 €
- Népal / Bhoutan .... 14,95 €
- New York + plan .... 14,95 €
- Nicaragua - Honduras - El Salvador .... 15,95 €
- Niger .... 15,95 €
- Nordeste du Brésil - Amazonie .... 14,95 €
- Norvège .... 14,95 €
- Nouvelle-Calédonie .... 16,95 €
- Nouvelle-Zélande .... 17,95 €
- Oman .... 15,95 €
- Ontario / Chutes du Niagara .... 14,95 €
- Ouest canadien .... 13,95 €
- Ouganda .... 16,00 €
- Ouzbékistan .... 17,95 €
- Panama .... 15,95 €
- Papouasie / Nouvelle-Guinée .... 15,95 €
- Parcs nationaux américains .... 14,95 €
- Patagonie .... 19,00 €
- Pays baltes .... 14,95 €
- Pays de Galles .... 13,00 €
- Pékin .... 15,95 €
- Pérou .... 14,95 €
- Philippines .... 14,95 €
- Pologne .... 14,95 €
- Porto .... 11,95 €
- Porto Rico .... 15,95 €
- Portugal + DVD .... 12,95 €
- Pouilles-Calabre-Basilicate .... 13,95 €
- Prague .... 10,95 €
- Québec + DVD .... 14,95 €
- RDC Congo .... 15,95 €
- République tchèque .... 12,95 €
- République centrafricaine .... 15,95 €
- République dominicaine + DVD .... 11,95 €
- Réunion + DVD .... 11,95 €
- Rio + plan .... 13,95 €
- Rome + plan .... 12,95 €
- Roumanie .... 14,95 €
- Russie .... 16,95 €
- Rwanda .... 15,95 €
- Sahara .... 17,95 €
- Saint-Barthélemy/Saint-Martin .... 14,95 €
- St Pétersbourg - Volga + plan .... 15,95 €
- San Francisco + plan .... 13,95 €
- Sardaigne + DVD .... 15,95 €
- Sénégal + DVD .... 11,95 €
- Serbie .... 15,95 €
- Séville + plan .... 11,95 €
- Seychelles .... 17,95 €
- Shanghai et environs + plan .... 14,95 €
- Sibérie .... 24,00 €
- Sicile .... 11,95 €
- Singapour + plan .... 13,95 €
- Slovaquie .... 15,95 €
- Slovénie .... 15,95 €
- Soudan .... 16,95 €
- Sri Lanka .... 15,00 €
- Stockholm + plan .... 12,95 €
- Suède .... 13,95 €
- Suisse .... 13,95 €
- Sydney + plan .... 14,95 €
- Syrie .... 15,95 €
- Tahiti - Polynésie + DVD .... 17,95 €
- Taiwan .... 15,95 €
- Tanger .... 12,95 €
- Tanzanie - Zanzibar .... 16,95 €
- Tchad .... 15,95 €
- Tel Aviv + plan .... 13,95 €
- Texas .... 13,95 €
- Thaïlande + DVD .... 14,95 €
- Tibet - Chine de l'Ouest .... 15,95 €
- Togo .... 15,95 €
- Tokyo - Kyoto .... 13,95 €
- Toronto + plan .... 11,95 €
- Trinidad et Tobago .... 15,00 €
- Tunisie + DVD .... 12,95 €
- Turquie + DVD .... 12,95 €
- Ukraine .... 16,95 €
- Uruguay .... 15,95 €
- Valence (Espagne) + plan .... 11,95 €
- Vatican .... 16,00 €
- Venezuela .... 15,95 €
- Venise + plan .... 13,95 €
- Vietnam + DVD .... 14,95 €
- Voyages de noces .... 14,00 €
- Washington D.C. + plan .... 13,95 €
- Week-ends en Europe .... 14,95 €
- Yémen .... 16,00 €
- Zambie .... 16,00 €
- Zimbabwe .... 15,95 €

A

B

C

D

E

L

M

T

U

V

W

X

Y

Z

Collection 2012

BON DE COMMANDE

Vous désirez obtenir une copie bien à vous ?
Remplissez le formulaire qui suit et faites-nous le parvenir par courrier, accompagné de votre règlement, à l'adresse ci-dessous. *Notez que toute commande reçue sans paiement ne sera pas traitée. Les prix indiqués incluent la TPS (5%) ainsi que les frais de livraison.*

❍ **Province de Québec**
Édition 2010 | 600 pages
29,75$

❍ **Ville de Montréal**
Édition 2012 | 376 pages
19,75$

❍ **Voyage d'affaires au Québec**
Édition 2011 | 192 pages
15,75$

❍ **Ville de Québec**
Édition 2012 | 160 pages
15,75$

❍ **Motoneige au Québec**
2e édition | 128 pages
15,75$

❍ **52 escapades au Québec**
Édition 2010 | 128 pages
15,75$

❍ **Produits régionaux du Québec**
4e édition | 160 pages
15,75$

❍ **Montréal Restos et produits gourmands**
Édition 2010 | 128 pages
15,75$

ADRESSE DE LIVRAISON :

Nom : .... **Prénom :** ....

Adresse : ....

Ville : .... **Code postal :** .... **Tél. :** ....

Envoyez votre commande à :
300 St-Sacrement, # 415 - Montréal (Qc) H2Y 1X4
Tél. : 514.279.3015 | Fax : 514.279.1143 | courriel : ventes@petitfute.ca

Notes

Notes